阿久澤麻理子
Mariko AKUZAWA

差別する人の研究

変容する部落差別と現代のレイシズム

旬報社

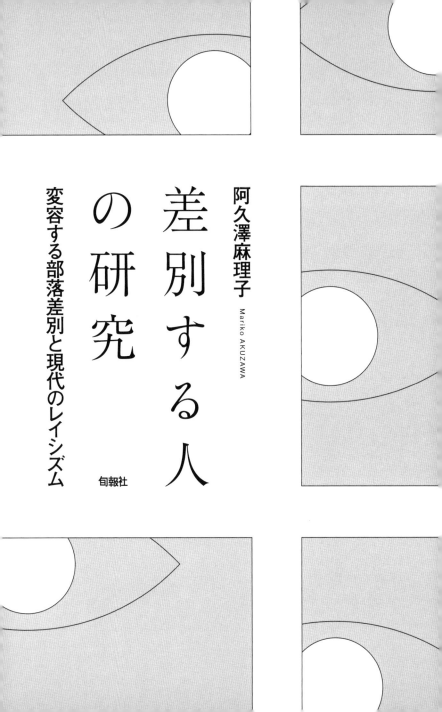

プロローグ——今、なぜ差別「する人（側）」研究なのか

研究者となって四半世紀、この間、幾度となく、研究テーマをたずねられる経験をした。専門分野や方法論の説明は後回しにして、今はごくシンプルに、こう答えることにしている。

「差別する人（側）の研究です」

たいていは、怪訝な顔をされる。時に警戒される。

なぜ、差別「する人」を研究するのか。それは、差別をなくすためである。

国際人権条約に示された「差別」の定義をわかりやすくまとめると、差別とは、「人の属性・特性を理由に、区別・排除を行い、人権の享有・行使を妨害すること」であるが、言うまでも

なく誰かの権利の行使を「区別・排除し妨害する」のは、差別「する人（側）」である。この定義は明快で、そこに、差別を受ける当事者に責を帰す思想はない。差別は「する人（側）」の問題なのである。だから、差別に向き合うには、「する人（側）」の意識や行動、そしてそれを許容し続ける社会の構造を研究する必要がある。

そして、差別は「する人（側）」の恣意であるから、勝手に作り替えられる。差別の現れ方も、それを正当化する理由や言説も、「する人（側）」によって、時代とともに変容させられてきた。今日の部落差別の現れ方は、決して封建時代のままではないし、この半世紀の間にも、変化してきている。

例えば、同和対策審議会答申（１９６５）は、「結婚に際しての差別は、部落差別の最後の越え難い壁である」と述べ、結婚差別の厳しさを指摘した。もちろん、結婚において部落出身者を忌避する意識が、今なお存在することは、各地の自治体が実施している市民意識調査からも明らかであるが、最近の調査結果をみると、結婚において部落出身者（人）を忌避する意識より、部落に住むこと（土地）を忌避する意識のほうが、より強く立ち現れることも少なくない。

加えて、差別の言説も変容している。マイノリティに対するあからさまな蔑みの言葉は、ヘイトスピーチの現場で拡散され続けている一方、日常の対人関係の中で発せられることは少なくなった。だが、露骨な表現に代わって、近年は「差別はもう深刻な問題ではないのに、部落出身者は差別がある、ある、と主張して、過剰な要求を行っている」とか、「社会的弱者であることをふりかざし、福祉に甘え、依存している」といった主張が目立つようになった。

こうした言説は、例えば2000年以降、市民意識調査の自由回答欄に現われる頻度が高まった。部落差別に限らず、在日コリアンや、障害者、女性なども標的とし、差別の不当性に対して声をあげることが「自助努力の不足」や「不正につながる」かのように言い広め、マイノリティは、モラルに反しているから差別されてもしかたがないかのように主張するのである。さらには、「そんな人を優遇してきた制度・政策がダメなのだ」と、政策批判にも転化する。それらはあからさまな蔑みの表現とは異なり、一見すると単なる政策批判のようにも見え、差別性を指弾しにくい。

また、情報化の進展により、差別の手段も大きく変化した。差別を助長・誘発・扇動する言葉や情報は、ソーシャルメディアを介して一瞬のうちに拡散し、さらにネット空間で増殖を繰り返す。そこで、時間の経過と共にさらに多くの人の目に触れることになり、被害者の受けるダメージは大きくなり、差別「する人（側）」の影響力は増大する。

本書の目的は、ここに例示したような現代社会の部落差別の変容の姿と、それが、なぜ・どのように起こるのかを示すことである。それは、言い換えるなら、差別「する人（側）」が、なぜ・どのように差別を変容させているのか、その意識構造や行為を分析することである。

ちなみに、世界のレイシズム研究も、差別「する人（側）」研究を発展・深化させてきた。レイシズム（racism）は、日本語では「人種差別」あるいは「人種主義」と訳されるとおり、「人種支配のイデオロギー」（社会学者　W・J・ウィルソンによる）である。[1] 人種とは自然に存在するものではなく、社会的に構築されたものだということは、すでに社会科学における共有知である。

しかし、今なお、人種というフィルターは強力に機能しており、差別「する人（側）」は、特定の人種集団の「性質や特徴」が本質的なちがいであるかのようにとらえ、差別を正当化し、その結果、不平等が継続・再生産されている。このことは、最近のＢＬＭ（ブラック・ライブズ・マター）運動の強力な訴えからも明らかである。そして、これを変えるには、差別「する人（側）」の研究が不可欠である。

アメリカ合衆国のレイシズム研究では、公民権運動を経て、露骨な差別表現が社会的に受容されなくなってくると、差別は微妙な表現をとるようになり、「見えにくく」なった、と言われてきた。そこで、１９６０年代以降は、あからさまな差別表現を避けつつマイノリティへの反感を表明する「新しい差別」言説の研究や、さらには差別を個人の意識・態度だけの問題ではなく、社会システムに組み込まれたものとして問題化する研究（例えば、警察官の黒人に対する対応や、刑事裁判における量刑の「人種的」偏りなどに注目する）が蓄積されてきた。社会的な文脈は異なるとはいえ、日本の現状を考える上でも、こうした研究から得られる示唆は多く、本書においても、これらから手がかりを得つつ、論を進める。

最後にもう一点、実務的な側面からも、差別「する人（側）」研究の意義にふれたい。２０１

6年、国際的な人権基準をふまえ障害者差別解消法が施行され、また、深刻化するヘイトスピーチやインターネット上の差別言説、差別を助長・誘発する情報の拡散などの問題を解決するため、ヘイトスピーチ解消法、部落差別解消推進法が施行された。

障害者差別解消法は、障害を理由とした不当な差別的取扱いを禁止し、また、各法には、教育・啓発の推進、相談体制の整備、情報収集や調査の実施などが盛り込まれた。だが、もし、私たちが今後、さらに包括的に差別を禁止し、被害を救済するための法整備を求めていくのなら、差別「する人（側）」研究は、今以上に不可欠なものとなる。というのも、差別禁止法とは、差別「する人（側）」の行為を規制する法なので、「する人（側）」を知ることなしには、法に盛り込むべきこと——どのような行為を規制するのか——を言語化することができないからである。

1——Wilson, W.J.(1999) The Bridge over the Racial Divide: Rising Inequality and Coalition Politics. Berkeley: University of California Press: p.14.

用語について

筆者は本書において、行政用語として使われてきた「同和地区」「同和問題」ではなく、「部落」「部落問題」という語を使っている。

「同和」という言葉は、戦前の融和政策の中で用いられた同情融和、同胞一和などに由来するとともに、１９２６年12月、昭和天皇即位の際の詔勅にあった「人心惟レ同シク民風惟レ和シ……」（国民は等しく、慈しみあわねばならないという意味）から来る用語である。

戦後も、行政用語としては「同和問題」「同和地区」「同和対策事業」「同和教育」などが使用されてきたが、同和地区は、必ずしも部落（被差別部落）と同義ではない。同和地区とは、行政機関によって同和対策事業が必要だと認められた地域を指し、歴史的には被差別部落であっても、同和地区として認定されていないところもある。

「同和」という用語を使用した場合、「行政的な線引き」によって、本来議論しようとすることの内容の一部が、含まれなくなることを避けるため、筆者は「部落（被差別部落）」「部落問題」という用語を使用した。ただし「同和」の語が、法律、行政施策策等の名称に含まれる場合や、引用した自治体調査の調査票や報告書の中で使用されている場合は、そのまま引用した。そのため、「部落」と「同和」の語が本文中で混在していることを冒頭でお断りしておきたい。

データについて

本書で取り上げている第５章までの調査データ（総務庁、内閣府、及び各地の自治体による調査）については、いずれも冊子またはオンラインで報告書が公開されている。また、第７・８章のデータ（Twitterのツイート分析・大学生の意識調査）は、科学研究費補助金による基盤研究（C）「現代社会における部落差別の変容に関する研究——差別意識とその表出形態に焦点を当てて」（18K02034，研究代表者　阿久澤麻理子）による。大学生の意識調査は、研究代表者が所属する大阪市立大学（現大阪公立大学）人権問題研究センターの研究倫理審査委員会の承認を得て、研究代表者・分担者の共同研究として実施したものである。なお研究分担者は、内田龍史（関西大学）、熊本理抄（近畿大学）、妻木進吾（龍谷大学）、出口真紀子（上智大学）、クリストファー・ボンディ（国際基督教大学）である。

目次

第2章

社会構築主義はマイノリティを無化するものか？

第3章

レイシズム研究に手がかりをもとめて──「逆差別」言説の研究を契機に

第4章　社会システムに埋め込まれた差別――「土地差別」を考える

第5章　部落出身者判定の手がかりにされる部落の所在地情報（地名等）

第6章　「全国部落調査」裁判――インターネットによる部落の所在地情報の拡散に向き合う

第7章　ふたたび、言説の変容を考える——「現代的レイシズム」とインターネット

第8章 「現代的レイシズム」を強化するものは何か――大学生の意識調査から

終章 どこへ向かうのか

第1章
差別とは何か？

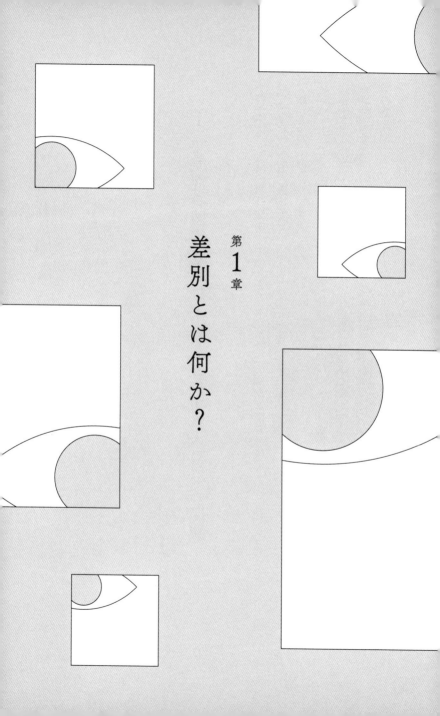

1――差別の国際基準――差別は「する人（側）」の問題

本書は部落差別に焦点をあてているが、その前に、差別が国際基準から、どのようにとらえられているのかを見ておきたい。本書が拠って立つ地点を明らかにし、みなさんと最初に共有しておくためである。

プロローグで、差別とは「人の属性・特性を理由に、区別・排除を行い、人権の享有・行使を妨害すること」だと示した。これは、日本も締約国となっている3つの国際人権条約――人種差別撤廃条約、女性差別撤廃条約、障害者権利条約――に示された定義を要約したものだ。

3つの条約の中で、最も早く国連で採択された人種差別撤廃条約（採択1965年、日本が締約国になったのは1995年）を見てみたい。第1条は、人種差別を次のように定義している。

人種差別撤廃条約第1条（定義）
この条約において「人種差別」とは、人種、皮膚の色、世系又は民族的若しくは種族的出身に基づくあらゆる区別、排除、制限又は優先であって、政治的、経済的、社会的、文化的その他のあらゆる公的生活の分野における平等の立場での人権及び基本的自由を認識し、享有し又は行使することを妨げ又は害する目的又は効果を有するものをいう。

つまり、人種差別とは、人種、肌の色、血筋（世系）、どこに、あるいはどのような民族にルーツを持つか、といったことによって、人を区別・排除したり、制限や優先を行ったりすることによって、人権の行使を妨げること（そのような目的をもつ、または結果としてそうなる場合の両方を含む）なのだ。繰り返すが、人権の行使を妨害するのは、差別「する人（側）」だ。差別は「する人（側）」の問題である。

他の2つの条約の定義も、同様の定義をとり、女性差別撤廃条約では「性」、障害者権利条約では「障害」に基づく区別・排除・制限によって、人権の行使を妨害することが差別である、と定義している。

ただし、障害者権利条約には、さらに「合理的配慮の否定」も差別であることが加わった。普、遍的人権はすべての人が有し、保障されるべきものだから、障害があることを理由に人権が行使できない状況は解消されなければならない。障害があることを理由に区別・排除され、人権が行使できないことこそ、差別である。そこで、この差別を解消し、人権の行使ができるようにするために、必要かつ適切な調整や変更を行うこと、これが合理的配慮である。

例えば、行政がケーブルテレビで情報発信をするとしよう。その情報がすべての人に正確に伝わるよう、さまざまな障害の特性をふまえ、音声だけでなく、文字テロップをつけたり、手話通訳者を配置したりすることは、合理的配慮の一例である。

合理的配慮は、「障害の社会モデル」という考え方に基づいている。障害とは、個人の心身機能の状態に対して、バリアに満ちた社会環境が作用して作り出される。だから、障害のある人が社会の一員として、そこに参画するためには、社会の側にある障壁を取り除かねばならない。「障害の社会モデル」をわかりやすく言うと、「できなくさせている社会を変える」ということである。これは、「治療やリハビリなど、個人的努力で障壁を乗り越え、解決しましょう」という考え方とは大きく異なる。

「社会モデル」は、人権と差別を考える上でとても重要だ。障害者が、女性が、人種や肌の色が異なる者が、社会の多数派に合わせて努力しがんばれば、差別がなくなるのではない。マイノリティの当事者に責任を帰すことでは、差別はなくならないのだ。その点において国際人権基準は明快である。

2 ―アファーマティブアクションは差別にあたらない

ところで、人種差別撤廃条約は、人種や肌の色などによって「区別・排除・制限・優先」することを差別だと定義しているが、この「優先」の中には、アファーマティブアクション（または、ポジティブアクション）は含まれない。

アファーマティブアクションとは本来、歴史的、構造的な差別によって不利な扱いを受け続けてきたマイノリティを雇用・教育・福祉・公務・政治参画などの場において一定範囲で有利に扱うことによって格差を是正し、事実上の平等を促進するために行われるものである。

例えば、マイノリティの採用や管理職を増やすために一定の目標を立て、合格基準を満たした候補者の中から、マイノリティを優先的に雇用したり昇進させたりする。女性差別撤廃条約においても同様に、こうした措置は差別とみなされない。ただし、人種差別撤廃条約、女性差別撤廃条約ともに、特別措置が別個の基準や権利を認めるようなものになってはならないこと、目的が達成されたら廃止されなければならないことが記されている。

だが、積極的差別是正措置には、「逆差別だ」との批判の声もあがる。マイノリティが優先されれば、マジョリティは不利益を被る、というのが逆差別の主張である。属性や特性によって区別・排除され、不利な扱いを受けてきたのは、その社会のマイノリティ（数の上での少数者ばかりでなく、社会的により弱い立場に置かれる集団）なのだが、「逆差別」言説は、「マジョリティこそ差別されている」と主張する。

逆差別言説は、その後、さらに変容を遂げた。というのも、マイノリティが差別に抗して声をあげれば、それだけで、「差別を利用し、特権を得ようとしている」とか「優遇を求めている」と揶揄され、バッシングを受けるようになったからだ。

「逆差別」から、「特権批判」へと変容した言説には、もはや、特別措置が実施された（されている）かどうかは関係ない。例えば「在日特権」批判を標ぼうするヘイトスピーチ団体があるが、日本政府が在日コリアンに積極的差別是正措置を実施したことはない。今日の「特権批判」言説は、差別の撤廃と人権の実現を求め、声をあげるマイノリティの行為じたいを「特権の要求」ととらえ、非難する。

3 —「みなし差別」と「関連差別」

海外の差別禁止法に目を向けると、差別は「する人（側）」の問題なのだから、「される側」

が真に、ある属性・特性を有するかどうかの証明ができなければ救済しない、という論理には必ずしも立っていない。

日本と同じアジア太平洋地域では、オーストラリア、ビクトリア州の機会均等法（Equal Opportunity Act 2010）[1]が、禁止・救済の対象に、「関連差別」や「見なし差別」を含めている。これは同州の「反差別法」であり、雇用、教育、商品・サービスの提供など、公共生活の領域で人種、性別、年齢、障害など、個人の属性・特性を理由とした差別を禁じ、差別を受けた人を救済するが、そこに「これらの属性・特性を持つ人と、個人的な関わりがあること」によって受ける差別（関連差別）と、「これらの属性を有する、あるいは有していたとみなされた」ために受ける差別（みなし差別）も含めている。

例えば、障害のある子どもがいることを理由に、責任の重いポストへの昇進が認められなかった、というケースは関連差別となる。また、「障害があるだろう」とみなされて受ける差別は、みなし差別である。どちらも、その人自身に障害があるという事実によって受けた差別ではない。だが、差別は「する人（側）」が恣意的に行うものだから、その人が、差別の理由とされた属性・特性を本当に持っているかどうかにかかわりなく、禁止され、救済されるのだ[2]。

これを部落差別に置き換えると、関連差別は「部落出身者との関りを理由に受ける差別」、みなし差別は「部落出身者だと、みなされて受ける差別」となる。

例えば、部落解放運動に共感しそこに参加したことで差別を受けたり、部落出身者と結婚したことによって差別を受けたり、あるいはそれらのことによって部落出身者だとみなされて差別されることは、関連差別、みなし差別である。

関連差別やみなし差別は、現代の部落差別に向き合うために、必要かつ重要な概念である。部落差別は封建時代の身分制度に由来するのであるから、現代の法律によって厳密に部落出身者を定義・特定した上で救済することは、法的に困難である。また、第4章で取り上げるように、部落に対する現代の忌避意識——例えば、住宅の選択において、部落の土地を避けること——には、「みなし差別」(そこに住むことで自分が部落出身者と見なされ差別を受けること)を回避しようとする心理が関わっている。

ところで、ビクトリア州の反差別法は、法によって保護される属性・特性として、「人種」「性別」「年齢」「障害」の他、「性的指向」「ジェンダー・アイデンティティ」「身体的特徴」「婚姻の状況」「宗教的信条と活動」「政治的信条と活動」「妊娠中であること」「母乳育児をしていること」「親またはケアラーであること」「組合や産業別組織への参加」「処遇や権利について職場で行動したこと(質問や要求を行った、など)」「合法的な性的活動」[3]とともに、「これらの属性・特性を持つ人との個人的関りがあること」「これらの属性・特性を持つとみなされること」をあげている。

ここで若干の脱線をお許しいただきたい。「母乳育児をしていること」という項目から、数年前の報道を思い出したからである。ビクトリア州ではなく、オーストラリア連邦議会の話であったが、オーストラリア史上初めて、議員が議場で生後2カ月の赤ちゃんに授乳したということが、2017年にニュースとなった。2016年に議会規定が改正される以前は、子連れで議場に入ることも禁止され、授乳中の議員は、代理を立てて投票していたという。つまり、「母乳育児」を理由に、権利行使が妨げられるという「差別」があったので、これが解消されたのだ。

一方、この報道から数か月後、日本では生後七カ月の子どもを抱いて地方議会に出席しようとした女性議員に対し、他の議員から退場を求める声が上がったことが報じられ、議員の出産・育児などが前提にすらなっていない日本の議会環境に関心が集まった。

「母乳育児をしていること」という身近な暮らしを感じさせる表現が、ビクトリア州の反差別法の中にあることは、なんだか法に対する親しみを感じさせてくれる。そしてもし、日本でも今後、このような包括的な反差別法が制定されることになったら、そこにどのような属性・特性が盛り込まれるのかと（「母乳育児をしていること」は入るだろうかと）考えさせられる。反差別法を作ることは、私たちが暮らしの中で感じている不具合や違和の経験を言葉にすることと深くかかわっているのだと思う。

4 ― 人種主義（レイシズム）と部落差別

差別の定義を示している3つの国際人権条約のうち、先ほど、人種差別撤廃条約を例に取り上げたのは、これが3条約の中では最も早く国連で採択されたからというだけでなく、重要な理由がもう一つある。それはこの条約が、「世系《せいけい》」に基づく差別を対象にしているからである。「世系」とは、なじみの薄い言葉かもしれないが、条約の“descent”（ディセント）の翻訳で、血筋、血統、系譜など、生まれによって決定される地位を指している。そうであれば、部落差別も本来はここに含まれる。

だが、日本政府は、1995年にこの条約の締約国になったときから、部落差別にこの条約は適用されないという立場をとってきた。世系は、人種、肌の色、民族的・種族的出身に関わるもので、社会的出身は含まれない、というのだ。[4]

これに対し、国連の人種差別撤廃委員会は2002年に、世系に基づく差別にはカーストとこれに類する「先祖から引き継がれる地位の制度」に基づく差別も含まれることを、「一般勧告29」[5]という文書で示した。世系に基づく差別には、インド、ネパール、スリランカなどのカーストと同様、日本の部落差別も含まれるということだ。[6]また、人種差別撤廃委員会では、日本政府の報告を審査した後に出す「総括所見」の中で、繰り返し「部落民」に対する差別を世系に基づく差別と認めるよう、日本政府に促しているが、日本政府の見解は変わっていない。

たしかに、「人種」と聞けば一般には外見的なちがい、「民族」なら文化的な特徴や差異を思い浮かべるのに対し、部落差別は、身分という人為的に作られた制度から生じたもので、部落にルーツがあることによって、なんら他の人びととの「境界」になるような外形的ちがいがあったり、それが世代を越えて引き継がれたりするわけではない。

しかし、そんな自明の事実を前にしても、なぜ今なお部落差別を続ける人がいるのだろうか？そしてなぜ、部落差別「する人（側）」は、戸籍を遡って身元を調査し、「その人」が封建時代の被差別身分に系譜的につながるかを（つながる可能性があるかを）、調べようとするのだろうか？

それは、差別「する人（側）」が、部落にルーツがある者には「生まれながらのちがいがある」という考えを手放していないからだ。

「生まれながらの」という考え方は、何らかの差異が、世系（血筋）によって引き継がれている、という考え方である。例えば結婚の際に、相手が部落出身者かどうかを知ろうとして、本人ばかりか親・祖父母の住所や本籍地を知ろうとしたり、戸籍を不正に取得して祖先の出身地が部落かどうかを調べようとしたりするのはそのためだ。２０１６年には、大阪市長（当時）であった橋下徹氏の親・親戚の出身地を調べ上げ、部落出身であることと関連付けて人格を否定する記事が週刊誌に掲載され、問題となった。[7] これらのことは、差別「する人（側）」が、部落出身者を血筋・系譜の異なる集団とみなし、そこに何らかの本質的なちがいがあり、それが親から子へと引き継がれると考えているからだ。そうでなければ、系譜を遡った身元調査など、する必要がない。

人種差別撤廃条約は、このような、血筋によって引きつがれるという考え方に基づいて行われる差別も、その対象にしている。部落問題は「人種」のちがいに基づく問題ではないが、部落出身者が「血筋がちがう」と眼差され、そのちがいが親から子へと引き継がれるとみなされ、それによって系譜をたどった身元調査が行われている限り、それは人種主義（レイシズム）なのだ。

5―歴史の中の、部落を「異化」するまなざし

ところで、歴史学者である黒川みどりは、部落差別をレイシズムの一形態として論じ、その際、封建時代の被差別身分に系譜的つながりを持つ人びとが、明治時代になると、「異種」（人種の異なる人びと）と見なされていったプロセスを検証している。つまり、被差別身分という制度が生んだ区別が、人種という生得的な性質に基づく区別に、置き換えられていったのである。

黒川によると、いわゆる解放令によって、制度上の賤民身分が廃止されると、かつて自分よりも下に置かれていた者が同列に扱われることに、民衆は危機感を覚え、日常生活では、「けがれ」意識を引き合いに出して排除を続ける一方で、身分制度に代わる差別のための強固な標識を探し求めることになったという。[8] つまり、差別の制度的根拠がなくなったので、それに代わる理由が必要になった、というわけだ。

一方、部落の側は、身分制度の下で課されていた種々の役負担――斃牛馬処理、皮革生産、警刑吏、掃除など――から解放されるが、役負担とはお上から課せられていた公務でもあったので、公務の対価として与えられていた給付、免税その他の特権も失うこととなった。また、「職業選択の自由」があると言われても、差別の壁が立ちはだかった。役負担の対価を失い、仕事からも排除され、そこに1881年からの松方デフレ政策の影響を受け（部落内外の格差を拡大したと言われている）、部落の経済的貧困と生活環境の劣化が進んだ。黒川はそのような環境の下で、部落に対して、「不潔・病気の温床」といった標識が生み出されていったと指摘する。[9]

ただし、こうした眼差しは、都市部のスラムなどにも向けられていたが、部落の場合、さらに「異種」だという見方が加わった。そして、こうした見方に学問的お墨付きを与え、強化したのが、当時の人類学者たちの「研究成果」であったことを黒川とともに、同じく歴史学者の関口寛が記している。[10] 日本人類学会が発足するのは1884（明治17）年であるが、1886年の『東京人類学雑誌』には、藤井乾助による「穢多は他国人なる可し」が発表され、鳥居龍蔵は1893~1901年にかけて、判明しているだけでも全国5カ所の部落で身体検査を含む調査を行い、部落民の「純粋」な形質を見出したとし、それが「マレー諸島、ポリネシヤン島」の「マレヨポリネシリアン種族」に似ているという、驚くような結論を出していた。

現代からみれば、突拍子もない論である。だが「身分」が「人種」に化けたことこそ、差別が「する人（側）」の恣意によって変えられることの証ではないだろうか。

こうして浸透していった、部落＝異人種論を正すことは、後の教育・啓発の重要な課題の一つとなった。1965年の「同和対策審議会答申」（政府が、部落問題の解決を国策と位置づけ、取り組むことを確認した文書[11]）は、部落差別は身分制度に由来するものであり、部落の住民は人種・民族がちがうという考えをきっぱりと否定し、次のように述べている。

いわゆる同和問題とは、日本社会の歴史的発展の過程において形成された身分階層構造に基づく差別により、日本国民の一部の集団が経済的・社会的・文化的に低位の状態におかれ、現代社会においても、なおいちじるしく基本的人権を侵害され、とくに、近代社会の原理として何人にも保障されている市民的権利と自由を完全に保障されていないという、もっとも深刻にして重大な社会問題である。

（中略）

この「未解放部落」または「同和関係地区」（以下単に「同和地区」という。）の起源や沿革については、人種的起源説、宗教的起源説、職業的起源説、政治的起源説などの諸説がある。（中略）ただ、世人の偏見を打破するためにはっきり断言しておかなければならないのは、同和地区の住民は異人種でも異民族でもなく、疑いもなく日本民族、日本国民である、ということである。

（同和対策審議会答申 第1部同和問題の認識1．同和問題の本質）

だが、答申が部落の人種・民族起源説を明確に否定しても、こうした考えが後々までも残存し続けたことは、その後の意識調査の結果からも確認できる。

同和対策審議会答申から約30年後の1993年に総務庁地域改善対策室が行った「同和地区実態把握等調査」の意識調査では、同和地区外の住民7002人のうち、「同和地区」や「同和問題」を知っていると答えた5234人に対し、部落の起源は何かと問うている。[12] その結果は表1のとおり、「人種（民族）がちがう」を選んだ者が、約1割を占めていた。ちなみに同和地区住民による回答では、1・3％であった（母数は4万9533人）。

地方自治体が市民を対象に実施してきた人権意識調査の中にも、同様の問いが含まれているものが以前は多かった。例えば、大阪府が1985～1995年に実施した3回の府民意識調査では、部落の「人種起源説（人種や民族がちがうという説）」を支持した回答の割合は、表2のとおりであった。ただし、1985年には10％弱あったものの、その後の2回の調査では5％

表1｜同和地区の起源についてどのように受け止めているか

総務庁(1993)B票Aサンプル(n=5234, 単位%)

人種(民族)がちがう	9.9
宗教がちがう	1.5
職業(仕事)がちがう	12.6
生活が貧しかった	9.7
江戸時代の支配者層によって民衆を支配する手段としてつくられた	55.1
その他	9.4
不明	1.9

前後に減少している。その割合は「宗教起源説」(部落の人びとは、神道や仏教で禁じられていることをし、けがれに触れるので差別されるようになった、という考え)よりも多い。

現在、全国レベルでは内閣府が行う「人権擁護に関する世論調査」に、部落問題に関する設問がいくつか引き継がれているが、部落の起源を問うような設問はない。また自治体の人権意識調査でも、見かけることが少なくなった質問であるから、教育・啓発が進み、非科学的な考え(人種起源説)が、完全ではないにせよ、正されたということであろう。

もっとも、部落問題が人種問題でないことは明らかでも、国際基準に照らして見るなら、人種主義(レイシズム)の問題であることは再確認しておきたい。いまだに「血筋がちがう」といった理由によって、部落を区別・排除する考えが存在するからだ。言い換えれば、封建時代の被差別身分に置かれた人びとには、何らかのちがいがあって、それが代々引き継がれる、という考え方が現代社会に生きているからだ。
そして部落問題に限らず、血筋を理由にした差別は、世界中の日常に埋め込まれている。さもなければ、どこかの国の王室メンバーが結婚するといっては、お相手のルーツを遡って報道が過熱するなんてことは、起こらないはずである。

表2｜同和地区の起源

"差別"をうけている地区(「同和地区」)は、どういう理由でできたと考えているか(大阪府, 単位%)

	1985	1990	1995
人種起源説(「同和地区」の人は、人種や民族がちがうという説)	9.3	4.7	5.5
宗教起源説(「同和地区」の人は、神道や仏教で禁じられていることをしたからという説)	1.4	0.9	0.9
職業起源説(「同和地区」の人は、特定の職業に従事していたからという説)	27.1	21.4	21.6
政治起源説(「同和地区」は、江戸時代の支配者によって政治的につくられたという説)	36.1	46.0	44.3
その他	1.1	1.5	1.1
わからない	23.0	22.1	22.9
無回答	2.0	3.4	3.7
回答者総数(n)	3395	3958	3814

※表中の設問、選択肢は1985年調査のもの。1990年調査、1995年調査ではそれぞれ、選択肢、設問の一部が改変されている。1990年調査の選択肢: 1.「同和地区」の人は、人種や民族が違うから　2.「同和地区」の人は、神道や仏教で禁じられていることをしたから　3.「同和地区」の人は、特定の職業に従事していたから　4.「同和地区」は、江戸時代の支配者によって政治的につくられたから　5.その他(具体的に　　)　6.わからない。1995年調査の設問:「また、「同和地区」は、どういう理由でできたとお考えですか。あなたのお考えにいちばん近いもの一つに✓点をおつけください。」、選択肢: 1.「同和地区」の人は、人種や民族が違うから　2.「同和地区」の人は、神道や仏教で禁じられていることをしたから　3.「同和地区」の人は、特定の職業に従事していたから　4.「同和地区」は、近世封建時代に支配者によって政治的につくられたから　5.その他(具体的に)　6.わからない。

出典(表・注とも):部落解放・人権研究所(2008)『部落問題に関する意識の変遷と啓発の課題(部落問題に関する意識調査研究プロジェクト報告書No.10)』

1——https://www.legislation.vic.gov.au/in-force/acts/equal-opportunity-act-2010/030（英語）２０２３年８月２日アクセス（以下ウェブサイトについては同様）

2——関連差別やみなし差別は、欧州人権裁判所やＥＵ司法裁判所でも、平等原則や均等待遇原則に反すると認定されるようになっていることを国際人権法学者である李嘉永が詳しく紹介した論文が公開されているので、参照されたい（李２０２０）。

3——「合法的性行為によって差別されないこと」とは、例えばビクトリア州で合法とされるセックス・ワークに就いていることや、ポリアモリー（すべてのパートナーの同意を得て複数のパートナーとの間で親密な関係を持つライフスタイル）を理由に、差別されないことなどである（ビクトリア州機会均等・人権委員会の説明より）。

4——「人種差別撤廃委員会の日本政府報告審査に関する総括所見に対する日本政府の意見の提出」（２００１年８月）https://www.mofa.go.jp/mofaj/gaiko/jinshu/iken.html

5——「世系に基づく差別に関する一般的な性格を有する勧告29」は、人種差別撤廃委員会第61会期、２００２年８月22日に採択された（CERD/C/61/Misc.29/rev.1）。

6——２０１６年、国連人権理事会第31会期に、国連マイノリティ問題特別報告者リタ・イザックが提出した報告では、「Ⅲ マイノリティとカーストおよび類似した世襲的地位の制度に基づく差別」の章で、インド、ネパール、スリランカなどのカースト、日本の部落差別のほか、中東やアフリカ、これらの差別を受ける人びとが移住した先においても、こうした差別が維持されていることが報告されている（A/HRC/31/56）。

7——週刊朝日２０１６年10月26日号が連載した橋下大阪市長（当時）をめぐる記事に対し、第三者機関「朝日新聞社報道と人権委員会」は、「出自を根拠に人格を否定するという誤った考えを基調にしている」との「見解」を示した。

8——黒川みどり（２０１４）「日本における部落問題―近現代の歴史をたどりながら―」東京大学大学院総合文化研究科附属地域グローバル地域研究機構ドイツ・ヨーロッパセンター『ヨーロッパ研究』（14）

9——黒川みどり（２０１４）『被差別部落認識の歴史　異化と同化の間』岩波書店

10——関口寛（２０１１）「20世紀初頭におけるアカデミズムと部落問題認識：鳥居龍蔵の日本人種論と被差別部落民調査の検討から」同志社大学人文科学研究所『社会科学』（41）

11——同和対策審議会は、同和問題の解決のための方策を検討する機関として、１９６０年に総理府の付属機関として設置された。内閣総理大臣からの諮問（「同和地区に関する社会的及び経済的諸問題を解決するための基本的方策」）を受け、１９６５年８

月に答申を行った。その前文では、早急な解決を「国の責務」「国民的課題」と位置づけた。

12——同和地区実態把握等調査の意識調査には、A票（同和地区内の者が回答）とB票（同和地区外の者が回答）があり、B票は用途に応じて、以下の3種類の集計が行われた。

- B票（同和地区外の回答の集計。各地域ブロックの基本集計や、地域ブロック間の比較に利用）
- B票Aサンプル（同和地区外の回答から、有権者比率を加味した抽出集計。同和地区外の全国的傾向を把握し、A票と比較する際に利用）
- B票Aサンプル36（B票Aサンプルから同和地区のある36府県を抽出集計）

本書で、部落に対する部落外の意識を全体として見る際には、B票Aサンプルのデータを使っている。

第2章

社会構築主義はマイノリティを無化するものか？

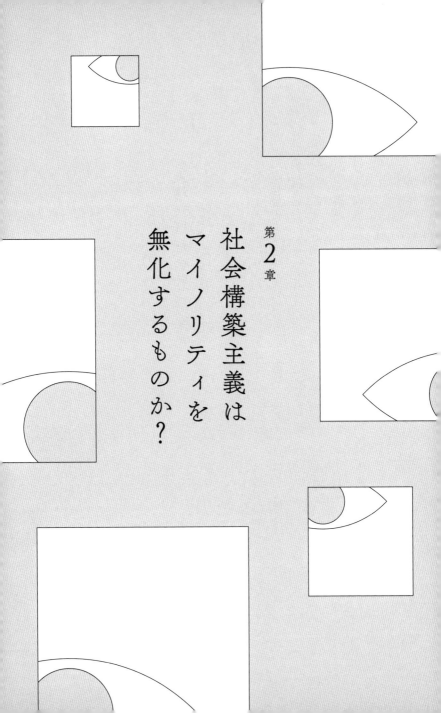

1
「人種」は社会的構築物
――では、人種差別はフィクションなのか？

　ところで、肌の色など身体的、生物学的な特徴から人を分類する「人種」というカテゴリーは、なにか絶対的な指標のように思われてきたが、実は、これにも科学的な根拠はない。人種じたいも、社会的に構築されたカテゴリーなのだ。

　ヨーロッパ世界が、非ヨーロッパ世界と出会う中で、17世紀から18世紀に「人種」に生物学的意味が与えられ、身体的・生物学的な差異に基づく「人種」カテゴリーは、人間の自然な分類体系であるかのように扱われるようになった。さらに、生物学的な差異は優劣と結びつけられ、人種は序列化され、植民地支配の根拠となっていった。

だが、現在の自然科学では、人種という分類が、そもそも成立しないことが明らかになっている。人の遺伝的多様性は、異なる（と思われている）人種集団間にある差異よりも、同じ（と思われている）人種集団内でのほうがはるかに大きいことがわかっているし、人の遺伝子の変異は連続しており、どこかで区切り、異なる人種を分類できるような切れ目はないのだ。[1]

しかし、「人種が社会的構築物だ」ということに対しては、こんな声が返ってきそうである。

「人種という分類が成立しないなら、人種差別も存在しないんじゃないか？」

「黒人という分類が生物学的に存在しないなら、『黒人差別がある』という主張は、架空の主張じゃないか？」

これには注意が必要である。人種が社会的に作られたもので、科学的根拠がないからといって、人種差別がないわけではないからだ。この点について、社会学者のE・ボニラ－シルヴァは興味深い指摘をしている。「人種が社会的構築物だ」ということが、学問的には明らかで、疑問をさしはさむ余地のないことであっても、研究者の態度は一様ではない、というのだ。あくまで研究者に限定した話だが、その態度は次の3つに分かれる、とボニラ－シルヴァは指摘する。[2]

①人種が社会的構築物なら、それは架空の分類にすぎないから、分析のカテゴリーとして取り上げない

②人種が社会的構築物だということを口先では支持するが（たいてい、著作や論文の冒頭で）、中身は違うことを書いている。例えば、人種間に見られる成績や犯罪率などの差を、あたかも本当に人種による差であるかのように論じている。それは差にばかり目を奪われ、差を生み出す社会構造を検証しようとしないからで、かえって人種間の序列を強化してしまっている。

③人種は社会的構築物であるが、人種は人びとの実際の行動に影響を与え、「社会的現実」として存在する。研究者として、その社会的現実に目を向ける。

言い換えると、①は人種を架空の分類として無視する態度、②は差を生み出す社会構造に目を向けず、表面的に人種間の差だけに注目する姿勢である。これに対して③は、人種というカテゴリーには科学的根拠がなく、社会が作り出したものであっても、現実の社会では、人種カテゴリーが特定の人びとを区別・排除するよう機能し、人権侵害をひき起こしている事実を直視する。すなわち差別を受ける人びとが「実際に生き、経験してきた現実（lived experience）」に目を向ける。社会科学者としての基本的な態度といえよう。

2　部落差別の場合――〝あるべからざる属性〟という表現に対する問題提起

このことは「部落」にもあてはまる。部落出身とは、そこに何か本質的なちがいがあるわけではない。その意味で、部落とは、社会的に構築されたカテゴリーである。

しかし、わたしが、差別は「する人（側）」の問題である、とか、部落も社会的に構築されたカテゴリーだ、と発言すると、しばしば強い反発に遭う。それは、差別「する人（側）」の考え方しだいで、部落出身者が存在したり、しなくなったりするかのような印象を与えてしまうからなのだ。しかし、差別は「する人（側）」が作り出す問題だ、と指摘することは、「部落は、差別する側が作り出したフィクションだ」とか、「部落も、部落差別も、そもそも存在しない」ということでは断じてない。この点を明確にしなければ、部落が（もちろん、人種やジェンダーも）社会的に構築されたと語ることも、差別を国際基準で語ることも、マイノリティ当事者の存在を無化する（フィクションにする）ものだと受け取られかねない。だから、この誤解を解いておくことは、本論に入る前にとても重要なのだ。

実際、2018年12月27日に法務省人権擁護局が発出した依命通知「インターネット上の同和地区に関する識別情報の摘示事案の立件及び処理について」[3]は、議論の発火点になった。この通知は、誰が部落出身者であるとか、部落がどこにあるといった情報（部落の地名やそのリストなど）が、ネットに流布される問題が深刻化したことを受けて、法務省が出したものである。そこには、「特定の者を同和地区の居住者、出身者等として識別すること自体が、プライバシー、名誉、不当に差別されない法的利益等を侵害するもの」であると共に、「特定の地域が同和地区である、又はあったと指摘する行為も、このような人権侵害のおそれが高い、すなわち違法性のあるもの」で、人権擁護上、許すことができない行為であると明記された。つまり、部落出身者や部落の所在地を摘示するのは、表現の自由などではなく、人権侵害になるという判断が示されたことになる。この通知は、人権を侵害するネット上の情報の削除をプロバイダー等に求める際の根拠を与える文書となり、その点は評価すべきことだ。

ただし、この通達には、次のような表現が含まれていた。

「部落差別は、その他の属性に基づく差別とは異なり、差別を行うこと自体を目的として政策的・人為的に創出したものであって、本来的にあるべからざる属性に基づく差別である」

部落差別が政策的・人為的に作られたものであるとしても、部落出身者を「本来あるべからざる属性」などと言ってしまえば、存在そのものを否定してしまうことになりかねない。これについて、部落解放同盟大阪府連合会委員長（当時）の赤井隆史は、こう批判している。

〝本来的にあるべからざる属性に基づく差別〟とは一体どういう意味を持つものなのか。つまり〝あるべからざる〟という表現は、部落出身者や部落にルーツを持つ者は、政策的・人為的につくられたもので、そもそも存在しないのだと捉えてしまうことが出来るが、実際どうなのかを法務省に確かめることが重要のようだ。部落出身者や部落に何らかのルーツを持つ当事者は、実は存在しないのであり、無いものをいちいち差別してはダメですよと聞こえてしまう。[4]

この批判を受けとめ、先の議論を思い起こしてほしい。人種というカテゴリーには科学的根拠がなく、社会的に構築されたものであることは明らかでも、実際には人種差別を生み、「非白人」（とされた者）に、差別や人権侵害を受ける経験を強いてきた。だから、私たちはその社会的現実に目を向け、これを変えねばならないのだ。そもそも、科学的に「あるべからざる」区分によって差別しているのは、差別「する側」だ。

部落差別も同様である。部落が身分制度に由来し（封建時代、区別・排除は制度化されていた）、社会的に構築されたカテゴリーであっても、現実にはそれを根拠に差別が行われてきた。部落にルーツを持ち、部落に生活の根をはって生きてきた者は、部落差別の存在する現実を生きる中で、その立場を引き受け（アイデンティティとして）、不当な差別に抗してきた。私たちが差別をなくすためにしなければならないのは、こうした当事者の存在と声を無化することではなく、そこから社会的現実を知り、それを変えることだ。

「あるべからざる属性」などという言い方で、差別がなくなるというのなら、人種差別も、女性差別もないはずだ。「人類はみなきょうだい」だと言ってしまえばいい。この表現じたい、不要である。

3 差別を無視・放置する論理——カラーブラインド・レイシズム

「人種なんて、フィクションだ」という物言いは、レイシズム研究でいうところの「カラーブラインド・レイシズム」に極めて近い。カラーブラインドとは「肌の色を見ない」という意味だから、カラーブラインド・レイシズムは「肌の色を見ようとしない差別主義」と訳すことができよう。つまり、「人種とは、〝あるべからざるカテゴリー〟だから、人種のちがいなんて、いちいち気にする必要はない」と言い放ってしまえば、現実に存在する人種差別と、そこから生じる不平等・格差を無視・放置できるのだ。

カラーブラインド・レイシズムの罪はさらに深い。『社会問題の構築』を著した社会学者のスペクターとキツセは、社会問題とは、外部から客観的に同定できるような「状態」ではなく、その状態に対してクレイムを申し立てる個人やグループの活動であり、また、クレイムの申し立ては「つねに相互作用の一形式である」と記した。[5] 言い換えれば、社会問題とは、訴える者たちの声と能動的な働きかけによって、はじめて社会問題として提示され、成立する。それならば、「人種は存在しない」とか「部落が〝あるべからざる属性〟だ」などと言い、非白人や部落出身者の声を封じ込めてしまうことは、人種差別や部落差別が社会問題として成立すること自体を妨げる。

人種、部落、ジェンダーなど、社会的に構築されたカテゴリーがすべてフィクションだと言ってしまえば、あらゆるマイノリティ集団の存在は否定され、世の中は究極、個人の集合体だということになってしまう。そうなれば、あらゆる社会問題は、ひとしく個人的努力で解決せよ、ということになる。だが、現実の社会には、パワーや資源の格差があり、それを無視してしまうことは結局のところ、社会の多数派にとって有利な社会環境を維持することになってしまう。例えば、「ジェンダーは社会的に構築されたフィクションだから、ジェンダー格差の問題など、個人的な努力でどうにでもなる」と言ってしまえば、男性優位の職場環境も変わらないし、賃金格差も縮まることはないのだ。

そして差別は、そもそも「する人（側）」の問題だ。「する人（側）」が、なぜ差別が生み出されるのか、自らもその一員である社会の構造に目を向けることを放棄して、部落（もちろん、黒人、女性も……）はそもそも科学的には存在しない「あるべからざる属性」だと言うだけで、差別がなくなると考えているのなら、あまりにも「おめでたい」考えとしか言いようがない。いや、それどころか、「そんな属性は存在しない」という言説が、差別を社会問題として訴える声を封じ込める効果をもつことに対して、あまりにも無自覚である。

1——Fiske, S.T. (2010) Interpersonal Stratification: Status, Power, and Subordination. in: Fiske, S.T., Gilbert, D.T. & Lindzey, D. (Eds.), *Handbook of Social Psychology*, fifth ed., New York: Wiley.

2——Bonilla-Silva, E. (2018) *Racism without Racists: Color-Blind Racism and the Persistence of Racial Inequality in America*. 5th edition. Lanham, MD: Rowman & Littlefield Publishers.

3——法務省権調第１２３号（平成30年12月27日）法務省人権擁護局調査救済課長名で発出。

4——赤井隆史（２０２１）「法務省の『依命通知』——『本来あるべからざる属性』とは」コラム水平時評（5月10日）http://www.hrn.gr.jp/column/2892/

5——Spector, M. & Kitsuse, J. I. (1977) *Constructing Social Problems*. Routledge.　村上直之訳［１９９０］『社会問題の構築——ラベリング理論をこえて』マルジュ社 p.123

第3章

レイシズム研究に手がかりをもとめて
――「逆差別」言説の研究を契機に

1 なぜ現代の部落差別を研究するのに、レイシズム研究を参照するのか

黒川ら歴史研究者が、部落差別を人種主義（レイシズム）と位置づけ、研究してきたことについては、すでに紹介したとおりである。明治期に身分制度が廃止されると、民衆が制度に代わって「差別を正当化する論理」を求め、「部落＝異人種説」を受け入れたことは、まさに「人種」差別であった。非科学的かつ突拍子もない論は到底受入れられないが、今でも「血筋がちがう」といった理由で部落出身者との結婚に反対するといった差別が起きている事実は、部落差別が、肌の色など身体的特徴のちがいに基づく差別ではなくとも、世系（血筋）に基づく差別として生き続けていることを示しており、これは国際人権基準によれば、人種主義（レイシズ

ム）の一形態なのだ（なお、ここからは「人種主義」を省き、「レイシズム」とのみ記すこととする）。部落差別をテーマとする本書でも、海外のレイシズム研究をしばしば参照している理由の一つはここにある。だが、それだけではなく、特にアメリカのレイシズム研究が、現代社会における差別の変容を取り上げていたこと――反差別政策の進展とともに、偏見は「偏見とは見えにくい」表現によって示され、差別が社会システムに組み込まれることなど――も、もう一つの理由である。

2 私がレイシズム研究に関心を持ったわけ――「逆差別」意識への関心

私がアメリカのレイシズム研究に関心を持つようになったのは、1990年代のことである。社会調査を学ぼうと一大決心して退職し、大学院生となった私は、指導教官の下で、各地の自治体が実施した「同和問題についての意識調査」（アンケート）などの集計・分析を手伝いながら、調査法を身に着けようと必死になっていた。

当時、自治体の意識調査は、無作為抽出した数千人の住民を対象に（人口規模によって対象人数はかなり幅があった）、郵送法で実施されていた。締め切りの頃に督促ハガキを送付すると、回

図1｜大阪府（1995）——同和問題についての意見（n=3814）

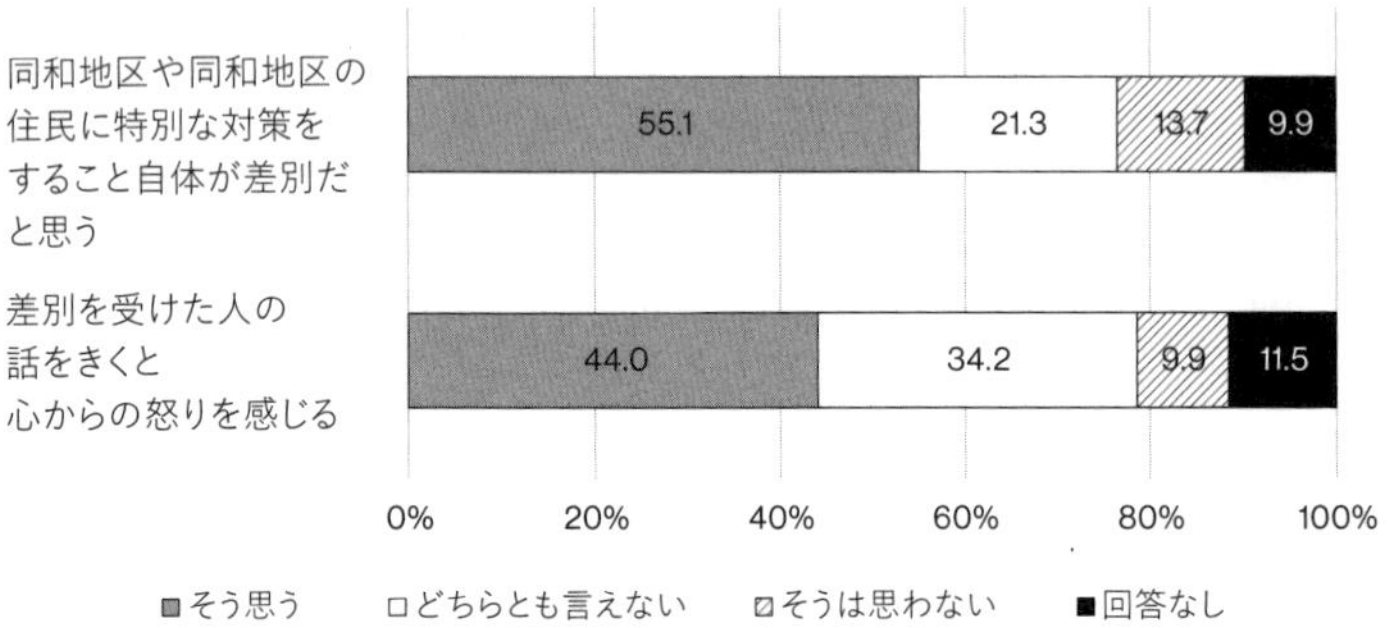

収率はたいてい5〜6割となった。返送された調査票を整理し、データ入力を行うのだが、選択された回答（数字）を入力するだけでなく、アンケートの自由回答欄に書き込まれた意見の要約転記も初心者が覚えるべき仕事だった。そして私はその作業を通じて、自由回答欄の記述に強い関心をもつようになった。というのも、自治体の人権意識調査の最後には、たいてい、やや広いスペースの自由回答欄があり、市民がふだん疑問に思っていることや、自治体への要望を自由に記入できるようになっており、そこには実に多くの同和対策事業批判（「同和対策事業は、逆差別だ」という主旨の意見）が書き込まれていたからだ。

　自治体によっては、アンケートの中に逆差別意識を測定する質問を設けていたところもあった。例えば、1995年の「大阪府民の人権問題に関する意識調査」では、「同和地区や同和地区の住民に、特別な対策をすること自体が差別だと思う」という意見に対し、「そう思う」と答えた割合は55・1％で過半数を占めていた（図1）。また、この割合は85年、90年調査からほとんど変化がなかった。

だが、同じ調査で、「(同和問題について) 差別を受けた人の話を聞くと、心からの怒りを感じる」という意見には、「そう思う」が44・0%で半数近くとなった。逆に、「怒りを感じる」に賛同しなかった割合は56%ということになるが、これは、「特別な対策をすること自体が差別だ」と回答した割合とほぼ同じになるから、部落差別に対する回答者の態度は、共感と反発に二分されていたかもしれない。

あるいは、部落差別には怒りを感じても、同和対策で部落の状況が良くなることは喜べない、偏狭な意識の持ち主が相当程度いたということだろうか?

だが、この当時、逆差別意識を問題として取り上げ、私の疑問に答えてくれる研究にはあまり出会わなかった。いや、正確に言うならば、行政や運動団体の「見解」は示されていたが、実証的な研究にはあまり出会うことがなかった。

3 90年代・日本の逆差別——同和対策事業に対して

教育心理学者の横島章は、総理府『同和地区精密調査報告書』(1975)が「〈ねたみ〉による差別意識」に言及し、各地で同様の現象が起こっていたことから、これを「昭和50年代の争点」だと記している。[1] 昭和50（１９７５）年といえば、同和対策事業特別措置法の施行（１９６９）の6年後にあたるから、同和対策事業が始まって数年のうちに、逆差別意識は問題化したということになる。

ただし、当初「ねたみ」と表現されていたとおり、日本では逆差別意識が嫉妬やひがみと同一視されてしまったことで、これが矯めるべき「正しくない感情」として、教育・啓発の対象に押し込められてしまい、科学的な分析の対象にならなかったのではないかと、私自身は感じてきた（これは、アファーマティブアクションが逆差別か否かを訴訟の場に持ち込むアメリカとは、対照的である。訴訟に持ち込むからには、争点が論理的に示される）。

もっとも、同和対策事業の必要性や根拠についての知識不足も、逆差別意識が生じた要因の一つであることは事実であり、教育・啓発の重要性を否定するものではない。前述の大阪府民の意識調査では、「同和対策審議会答申が出たことを知らない」者が約半数（48・2%）を占めていたし、「同和対策事業が特別措置法に基づいて行われていることを知らなかった」のは62・8%にものぼるから、１９９５年の段階になっても、同和対策事業についてほとんど知識がないまま事業が進む様子だけを見て、部落に対する批判的な感情を抱いた市民がいたことは想像にかたくない。

さらに、総理府に置かれた地域改善対策協議会の意見具申（１９８４）の評価をめぐって、二つの民間運動団体——全国部落解放運動連合会と部落解放同盟——の対立が際立つことになった。意見具申は逆差別意識の原因が、「民間運動団体の要望をそのまま施策として取り上げる」行政の姿勢にあり、そのような行政の主体性の欠如が、国民の理解不足とあいまって、「ねたみ意識」を醸成したという解釈を示していたからだ。

全国部落解放運動連合会は、部落内外の格差を是正するためには、特別措置が必要であるが、それを必要としない状態を速やかに実現することが理想であるとの考えに立ち、部落差別が着実に解消に向かった過程を進んでいるのに、特定の運動団体が威圧的な態度をとるため、格差是正を越えた過度な優遇が行われて一般行政にしわ寄せが生じ、部落外住民の批判が生じたのだと主張した。

これに対して部落解放同盟は、逆差別意識は、部落が低位な状態にあることを前提にした、差別意識の反映であるととらえていた。同和対策事業は、本来あるべき、福祉や教育の水準を先取りしているのだから、同和対策事業を打ち切り、水準の低い一般行政に合わせるのではなく、一般行政を同和行政の水準に近づけることこそ、あるべき道だと主張した[2]。

私はといえば、政府の意見具申が、市民の逆差別意識を、行政・運動団体間の力関係の問題に置き換えてしまったことに、強い違和感を感じていた。むしろ逆差別意識を表明するに至った、市民の意識構造をもっと検討すべきではないかと考えさせられた。そこで、関西の政令市であるA市が、1995年に実施した「人権問題に関する意識調査」の自由回答欄への書き込みをもとに、簡単な分析を行って見ることにした。分析の詳細は、拙稿「人権教育・啓発の新たな課題――『逆差別』をめぐる市民意識の日米比較」（『部落解放研究』No.116、1997）を参照していただくとして、ここでは簡単に結果だけを記しておく。なお、当時この論文は、市の名称を公開しないことを条件に執筆したので、ここでもA市と記すにとどめておく。

A市調査（5000人が対象、回収率51・7％）の、最後にもうけられた自由回答欄に何らかの意見を書きこんだのは、アンケートを返送してきた人のうちの496人だった。同和対策事業に対して、否定的意見（「逆差別」であるという意見の他、「事業が差別を助長する」「税金の無駄遣い」といった意見などがあった）を書きこんでいたのは、全体としてみれば高い年齢階層と、啓発活動への無関心層に多かった。また、逆差別に関わる意見に限ってみると、批判の矛先を「住宅（公営住宅建設、入居措置、家賃減免等）」「保育所・学校の設備」など、物的事業に向けているものが目立った。そこで、年代別に、何に対して「逆差別だ」と感じているのかを整理してみたところ、「住宅ローン世代」ともいえる「30・40歳代」が部落内の「公営住宅」に対して、比較的小さな子どもがいるであろう「30歳代」が「保育所・学校の設備」に対して、逆差別だと感じているケースがまとまっていた。つまり90年代の逆差別には、目につく事業をターゲットに、自らの生活上の不満や「満たされなさ」を表現したものが目立っていた。「隣の芝生は青かった」のだ。

4　２０００年代以降の変化――「不当な特権」批判へ

だが、逆差別言説は、２０００年代に入るとさらに変化した。２００２年に同和対策事業の根拠法である「地域改善対策特定事業に係る国の財政上の特別措置に関する法律」（地対財特法）が失効し、33年にわたる同和対策事業が終了しても、各地の市民意識調査の自由回答欄には、さらに「ねじれた」逆差別言説が書き込まれることが続いた。例えば、以下はいずれも、２０１５年以降の、自由回答欄に書き込まれた意見である。複数の自治体の調査から一部を要約して転記した（目立つ意見を選択している）。

- 同和地区の人は自分達は差別されていると主張し、差別をいいように利用している
- いつまでも差別されたと言っては、部落がいろいろ優遇を受けるのはおかしい
- 同和地区や生活保護受給者は、〝社会的弱者〟をふりかざし、過剰に権利を主張している
- 部落出身者に対する特権的な取り扱いが、結局差別を助長している
- 努力している人、やる気のある人に不利なことがあれば助けるべきだが、同和で不当な利益を得ている人には必要ない

いずれも、「逆差別」を主張してはいるが、同和対策事業が終了して10年以上が経過しているためか、90年代のように、何か実際に目にした具体的な事業をあげているわけではない。また、自分の生活における不足感の表明というよりは、部落出身者は「差別を利用」し、努力もせず、不当に特権を得ている、だから差別されても仕方がない、と非難している。そして、「不当なことをやっている」とか、「努力していない」という主張の底流には、「モラル違反」への指弾や「能力至上主義」がある。これは、もはや「隣の芝生」のレベルではない。

このような書き込みが目立つようになった背景には、おそらく2006年以降に、同和対策事業をめぐる不祥事が続けて報道されたことも、大きな影響を与えている。「不当な特権」言説が、まとまってみられるようになったのは、この頃だからである。

また、メディア（マスメディアだけでなく、インターネット情報も含む）の影響も大きい。というのも、私が集計・分析に関わった自治体のアンケート調査（人権意識調査）では、自由回答欄に「不当な特権」批判が書き込まれるとき、なぜか「生活保護の不正受給」を例にあげるケースが目立つようになったからだ。これは、芸能人の親・親族が、生活保護を受給していることが報道され、「収入があるのに、家族を扶養しないなんて」「不正受給にちがいない」という批判が相次ぎ、ネットで炎上した時期と重なっていた。また、その批判は、生活保護制度そのものに対するバッシングへと発展した。

なお、在日コリアンに対するヘイトスピーチにおいても、「在日特権」という用語が使われたように、「不当な特権」言説は、部落だけでなく、外国人、女性、障害者、さらには沖縄や、原発事故で避難を強いられた人びとにも（これも決して網羅的リストではない）向けられるようになった。これは、差別に対してマイノリティの側が声をあげることを「特権の要求だ」と非難することによって、その声と存在を封じる手段となるものである。

コラム一 **同和対策事業とは**

大阪府民の人権意識調査（1995）では、同和対策審議会答申や、同和対策事業特別措置法が同和対策事業の根拠となっていることを知らない者の割合は約5〜6割にのぼり、事業の必要性や根拠についての理解は、半数程度かそれ以下の市民に浸透するにとどまっていた。そして、事業が終了すれば、その必要性や根拠を説明する場面は、さらに減るだろうから、現在ではその割合はもっと下がっているにちがいない。しかしながら、部落が特別扱いをされているとか、特権を享受している、といった書き込みは、現在もアンケートの自由回答欄に書き込まれ続けている。そうである以上、同和対策事業がなぜ実施されたのかについては伝え続ける必要があるだろう。そこで、ここでは同和対策事業が実施された経緯について、ごく簡単にではあるが、説明しておきたい。

---

(1) 同和対策事業について

同和対策審議会答申(1965)は、同和問題(部落問題)を次のように説明している。

「日本社会の歴史的発展の過程において形成された身分階層構造に基づく差別により、日本国民の一部の集団が経済的・社会的・文化的に低位の状態におかれ、現代社会においても、なおいちじるしく基本的人権を侵害され、とくに、近代社会の原理として何人にも保障されている市民的権利と自由を完全に保障されていないという、もっとも深刻にして重大な社会問題である」

部落差別は封建社会の身分制度に由来する差別であるが、非合理的な偏見・忌避意識(部落・部落出身者との関りを避けようとする意識)は身分制度が廃止された後も残り続けた。戦後の民主主義体制の下においてなお、部落出身者は交際や結婚を拒否され、教育・就労等において差別を受け、基本的人権の保障から疎外された。差別と社会的排除の結果、低い教育水準、不安定な就労、貧困と劣悪な生活環境の下での暮らしを強いられ、地域の零細な産業は、戦後の経済発展から取り残された。

1950年代終盤の、部落の状況を描いた記録映画がある。亀井文雄監督によるドキュメンタリー「人間みな兄弟――部落差別の記録」(1960)である。映画は、月ロケットの打ち上げが成功したことを報ずるニュース映像の後、ある部落へと続く道を映し出し、「道がある。その道が細くなったところに部落がある」というナレーションで始まる。当時の部落と周辺地域との格差と同時に、宇宙時代に、理由なき差別を強いられた人びとの暮らしの実態とその声を伝えている。

問題解決のための個別的な施策は、戦後、国や一部自治体によって実施されるようになったが、部分的な施策では、抜本的解決は望めない。そこで、抜本的、総合的な解決のための国策樹立を求める声が高まり、これを受けて、国は1960年に同和対策審議会（総理府の付属機関）を設置、1965年8月にはこの審議会が答申（同和対策審議会答申）を行った。この答申は同和問題の早急な解決を「国の責務」「国民的課題」と位置づけ、その後の政策の基本的方向を示した、いわば国の同和対策の原点となる文書である。

答申を受けて立法されたのが、「同和対策事業特別措置法」（1969）である。これに「地域改善対策特別措置法」（1982）、「地域改善対策特定事業に係る国の財政上の特別措置に関する法律（地対財特法）」（1987）が続き（いずれも一定の有効期間を付した時限法）、これらを根拠法として、2002年3月まで33年間にわたる特別対策としての同和対策事業が実施された。事業は、「対象地域における経済力の培養、住民の生活の安定及び福祉の向上等に寄与する」（同和対策審議会答申）ことを目的に、生活環境改善、保健・福祉、教育、産業・職業、人権擁護を含む総合的な事業が実行され、部落の生活実態は大きく改善した。

また、差別解消のため、市民に向けた教育・啓発も実施された。これらの同和対策事業には約4兆3000億円の国費があてられた。また1969年から93年に支出された国・府県・市町村費は総計約13兆3600億円である。[3]

(2) 同和対策事業の対象地域

政府が1993年に実施した最後の同和地区実態調査の報告書(総務庁長官官房地域改善対策室『平成5年度同和地区実態把握等調査——地区概況調査報告書』)によると、全国で4533の同和地区が報告されている。ここでカウントされているのは、「歴史的社会的理由により生活環境等の安定向上が阻害されている地域」(同和対策事業特別措置法1条)として、同和対策事業が必要だと行政機関によって認められた地区である。

歴史的に部落差別を受けてきた地域でありながら、認定されなかった「未指定地区」もある。同和対策事業の対象地域となることは、部落であるということを明らかにすることとなる。厳しい差別を経験してきた地域だからこそ、住民の合意を形成できなかった場合もあるし、行政が同和対策に消極的だった場合もある。もっとも、生活がある程度安定し、特段に事業を必要としなかった場合もあるが、このような少数の例を除けば、未指定地区では同和対策事業が実施されず、低位な生活実態が改善されないままとなった。なお、東京都のように、対象地域を指定せず、独自の同和行政を実施した自治体もあった。

表3｜地域ブロック別 同和地区数・同和関係世帯数・人口・1地区平均世帯数

総務庁(1993)

	地区数		同和関係世帯数		同和関係人口		1地区平均同和関係世帯数
	実数	%	実数	%	実数	%	
関東	572	12.9%	21,561	7.2%	82,636	9.3%	37.7
中部	532	12.0%	24,688	8.3%	75,455	8.5%	46.4
近畿	781	17.6%	127,516	42.7%	372,918	41.8%	163.3
中国	1,052	23.7%	38,152	12.8%	115,565	12.9%	36.3
四国	670	15.1%	39,192	13.1%	105,612	11.8%	58.5
九州	835	18.8%	47,276	15.8%	140,565	15.7%	56.6
総数	4,442	100.0%	298,385	100.0%	892,751	100.0%	67.2

同和対策事業が始まって、調査でカウントされる地区数は1971年(3972地区)から1987年(4603地区)に、大きく増加している。ただし、同和対策事業の対象地域の新たな認定は、地対財特法(1987)以降は行われていない。

ところで、1993年の総務庁調査では、4533地区のうち91地区で同和関係人口が把握できなかったが、残る4442地区については、29万8385世帯、89万2751人が報告されている(表3)。同和関係世帯数を地区数で割った、一地区あたりの平均世帯数は、67・2世帯である。ただし地域ブロック別では、近畿が平均163・33世帯となり、地区の規模が大きいことがわかる。

なお、地区外から来住した住民も含めて母数とし、同和関係人口の割合を見ると41・4

%であった。71・9%(1971)をピークに減少した。北海道・東北6県と、富山県、石川県、沖縄県、そして東京都からは報告がなかった。

5　逆差別言説をどう見るか——アメリカのレイシズム研究への関心

1990年代に逆差別言説に関心を持つようになったとき、これを「嫉妬やひがみ」でもなく、「行政・運動団体の姿勢が生んだ問題」に置き換えるのでもなく、実証的にその要因を明らかにした研究がないかと探すようになった。その時出会ったのが、アメリカ合衆国のレイシズム研究だった。

アメリカでは1950年代半ばから60年代にかけて、人種差別に抗議し、白人と同等の権利の保障を求めるアフリカ系アメリカ人による公民権運動が大きなうねりとなり、1964年には公民権法が成立した。その翌年、ジョンソンによる大統領令11246号は、連邦政府の契約業者に、人種、肌の色、宗教、性別、出身国によって差別することを禁止し、雇用のあらゆる側面において機会均等が提供されるよう、アファーマティブアクションを実施するよう求めた。そしてアファーマティブアクションは、雇用や公共事業の領域だけでなく、教育にも広がっていった。

アファーマティブアクションが逆差別だという主張は、アメリカでは訴訟に持ち込まれるが、初期のよく知られている裁判に「カリフォルニア大学理事会対バッキ」がある。白人男性バッキは、自分が同大学デイビス校の医学部（メディカル・スクール）受験で不合格となったのは、大学の設定した「マイノリティ枠」（デイビス校では、アファーマティブアクションとして16％の「マイノリティ学生枠」を設けていた）のためで、これは人種を根拠とした差別だと大学を訴えた。これに対する連邦最高裁判決（1978）は、バッキの入学を認めるとともに、厳格な人種別割当制度（クオーター）は違憲となるが、入学許可の判断基準の一つとして人種を含めるアファーマティブアクションは認められるという、なんとも玉虫色の判断を示した。

その後、数多くの訴訟がアファーマティブアクションに対して提起され、どのように運用すれば合憲になるのか、という基準が徐々に形成されていったが、時間が経過するにつれ、アファーマティブアクションに対する反発が強まっていた。州レベルでは、いくつかの州が人種に基づくアファーマティブアクションを終了していたが、さらに2023年6月には、連邦最高裁判所が大学の入学選考におけるアファーマティブアクションに違憲判決を下した。「公平入学のための学生団体」（Students for Fair Admissions）という反アファーマティブアクション団体が、大学入試のプロセスで人種を考慮するのは、人種差別を禁じた公民権法に違反すると、ハーバード大学とノースカロライナ大学を訴えていた。判決は判事の多数派を保守派が占める中で下されたもので、ジョー・バイデン大統領はこれに「強く」不同意を表明し、「アメリカにはまだ差別が存在する」と述べた。判決を契機に、これまで社会の多様性を確保するために機能してきたリベラルな政策が、転換を迫られるのではないかと危惧されている。

6 「新しいレイシズム」のいくつかのパターン

裁判においてアファーマティブアクション反対派は、それが「平等条項に違反する」とか「公民権法違反」だと主張するから、あからさまな偏見が法廷で表明されることはない。だが、アファーマティブアクションに反対する態度の背景に、本当に偏見や差別意識はないのか？ というのが研究者の問いである。その問いへの答えを見つけるべく、心理学や政治学の領域では、アンケート調査や「実験」、選挙行動の分析などがさかんに行われることとなった。実証的な研究から明らかにされたのは、「黒人に対する否定的感情は、偏見だとわかりにくい形で表明されるようになった」ということだった。

①社会システムに埋めこまれた差別

かつてのレイシズムは、「黒人と白人の間には生物学的・生得的なちがいがあり、黒人は白人より、知的にも、道徳的にも劣っている」という考えによって、黒人に対する不平等な扱いや人種隔離を正当化した。人種別学制や一般公共施設の利用制限・禁止などを定めた黒人差別法全般が、ジム・クロウ法と呼ばれていたことから、これは「ジム・クロウ型レイシズム」とか、「古典的な（オールド・ファッションな）レイシズム」と呼ばれている。

だが、公民権法の成立、アファーマティブアクションの開始を経て、社会は黒人に対するあからさまな偏見を公然と表明することを、少なくともタテマエでは受容しなくなった。1970年代からは、世論調査においても、公共施設の利用や教育などの場面で、白人と黒人の平等な待遇を否定するような回答は減少し、レイシズムは急速に弱まっていったかのように見えた。だがそれは、露骨な偏見を表明することが単に時代遅れとなっただけであり、「人種差別は消えたのではなく、変容をしたのだ」と指摘されるようになった。というのも、確かに世論調査では平等待遇を支持する回答は増えていたが、警察による黒人に対する暴力や、刑事裁判で下される量刑の人種間での不均衡、所得や健康面などでの人種間格差は、明らかに存在し続けていたからだった。こうして「新しいレイシズム」という概念が注目されるようになった。

個人の態度や行為とは別に、マクロな場面での不平等は明らかに存在しており、偏見は制度、組織の慣行やネットワークなどの社会システムに埋め込まれて存在している、というのが「新しいレイシズム」研究において筆者が注目する第一の主張である。例えば、黒人は同レベルの犯罪を犯した白人よりも長い刑期を与えられる傾向があるとか、交通を取り締まる警察官は、白人やアジア系より多くの黒人を停車させる傾向がある（レイシャル・プロファイリング）など、司法、雇用、医療、住宅、教育、政治などの幅広い分野に差別は構造的に埋めこまれている。

社会システムに埋め込まれた差別を、公民権運動のリーダーであったS・カーマイケル（後のクワメ・トゥーレ）とC・V・ハミルトンは、人種差別告発の書である『ブラック・パワー』（1967）の中で、「**制度的レイシズム**」（インスティチューショナル・レイシズム）と呼んだ。個々の白人の態度が差別的であろうがなかろうが、すべての白人は社会体制（社会システム）の恩恵を受けており、生活水準のあらゆる面で黒人よりはるか優位にある一方で、黒人はそのような社会システムによって継続的に不利な立場に置かれてきた。だが社会システムとは、白人にとっては慣れ切った日常にすぎず、ことさら問題だと感じられない。黒人に対して偏見に満ちた言葉を発したり、排除行為に及ぶことはさすがに差別だと認識するが、白人が労なくして優位な位置を与えられていること――これを近年「マジョリティ特権」と呼んでいる――には、無自覚なのだ。「新しいレイシズム」研究では、マジョリティが自覚していない差別をも問題にする。

さらに、制度的レイシズムに近い概念に「**文化的レイシズム**」がある。人種間の生物学的差異ではなく、文化的差異を理由に、マイノリティに対する否定的感情や差別的扱いを正当化する考え方である。ヨーロッパでは移民に対する敵意と排除を説明する論理とされてきた。例えば、移民が高い割合を占めるコミュニティが直面する問題を、人種差別的な社会制度の結果とはとらえずに、移民の異質な文化やその特質のせいだと理由づけることは、文化的レイシズムの一例である。マジョリティ側の責任を問わないという点で、文化的レイシズムは、社会構造に埋め込まれた差別である。

②変容する言説

「新しいレイシズム」研究の第二の論点は、反黒人感情を表現する言説が変容している、ということである。あからさまな偏見に満ちた表現が社会に受容されなくなると、これまでとは異なる言葉が使われるようになったからだ。

言説の変容は、アファーマティブアクションへの反発から起こった。1970年代になると、「アファーマティブアクションは、アメリカ社会を象徴する価値観——個人の勤勉・努力というプロテスタント倫理、アメリカンドリームに象徴される実力主義、そして自由——に反するから許容できない制度であり、そのような制度の受益者になるような黒人も、「伝統的なアメリカ社会の価値観に反している」とか、「差別はもう深刻な問題ではないのに、黒人は努力もせず、要求ばかり行い、不当な特権を得ている」という批判が聞かれるようになった。アファーマティブアクションは、不当な要求の象徴にされたのである。

政治学者のD・R・キンダーや、心理学者のD・O・シアーズ、J・B・マッコナヒーらは、このように、抽象的価値や道徳的正当性に転嫁されて表現される反黒人感情を「**象徴的レイシズ**

ム」(シンボリック・レイシズム)、「**現代的レイシズム**」(モダン・レイシズム)と名付けた(この二つは重なり合う概念であるが、マコナヒーは、これが「公民権運動後に現れた新たな信念」であることを強調するため、「現代的レイシズム」という語を用いるようになった。本稿では以下、「現代的レイシズム」と記す)。そして、マコナヒーが、「現代的レイシズム」は、社会的・政治的問題に置き換えられると指摘したとおり、こうした言説は、一見すると、アファーマティブアクションという政策を批判する主張に見え、それが偏見や差別だと、単純には非難しづらい。実際、これらの言説の支持者たちは、自分を差別者(レイシスト)だと思っていないことも調査から明らかになっている。

だが、「自分は差別者ではない」という信念は、「新しいレイシズム」の特徴の一つでもある。「私たちは同じ人間だ」とか、「私には、人種なんて関係ない、気にしていない」と言いながら、マジョリティに優位な社会状況を無批判に維持してしまうことが、「**カラーブラインド・レイシズム**」であることは、すでに指摘した。

また、「自分は差別者ではない」と確信しているが、無意識のうちに黒人に対する否定的感情や偏見を身につけてしまっており(そもそも、脈々と続いてきた人種差別が存在する社会で生まれ育った者が、それらから完全に自由であることは難しい)、ふとした折に差別的な行動となって表れてしまうので、黒人との交流・接触を避けることによって「差別者ではない自分」を実現していることを、J・F・ドヴィディオとS・L・ガートナーは「**回避的レイシズム**」(アヴァーシブ・レイシズム)と呼んだ。このような態度をとる人びとは、人種に関わる表現に対して非常に敏感であるため、回避的レイシズムはアンケートでは測定することが難しい。また、否定的感情は、不快感や不安感、嫌悪感などによって表現されると言われている。

なお、「新しいレイシズム」は時にNew racismsと表記されるとおり（sが付いていることに注目）、複数あり、ここでは主な概念をいくつか紹介した。これらが示しているのは、差別をなくし、格差を解消するための政策が実行されるにつれ、「差別のかたち」が変わる、ということだ。新しいレイシズムは、偏見を公言せず、原則として平等を支持する態度を示しながら、それを実行するための政策（アファーマティブアクション）には反対し、黒人に対する新たなステレオタイプを作り出したり（黒人は努力しない、政策から不当な特権を得ている、等）、人種差別というテーマに触れること自体を避け、結果としてマジョリティである白人に有利な社会構造を維持する。差別・格差是正の政策が進むほど、白人は自分の持つ資源・特権が、下位にいる黒人の要求や利益により脅かされると感じるからだ。

7　部落差別と「新しいレイシズム」

私の問題意識は、海外で提起されてきた「新しいレイシズム」が、現代の部落差別にも立ち現れるようになったのではないか、ということにある。もちろん社会環境も文化も異なるのだから、海外の理論を、そっくりそのまま当てはめようとは思っていない。だが、最近はヨーロッパやそれ以外の地域においても、ここで紹介したような「新しいレイシズム」の理論を使って、それぞれの地のレイシズムの変容を分析したり、これを性差別の分析に応用する研究も行われるようになっている。それならば、ことさら日本の部落差別を例外扱いにする必要はなかろう。それどころか、アメリカではアファーマティブアクションが実施されるようになって以降、「新しいレイシズム」が立ち現れるようになったから、同じく1960年代から33年にわたって同和対策事業を実施した日本には、むしろアメリカ社会との共通点すらある。そこで近年、人権意識調査の結果においてみられるようになった部落差別の変容に対しても、「新しいレイシズム」研究の知見からアプローチできるのではないか、と考えるに至ったのである。

1――横島章（1992）『同和問題の心理』中央法規出版 p.88
2――横島章（1994）「同和問題におけるねたみ意識について」『宇都宮大学教育学部紀要』第1部（44）
3――同和行政史編集委員会編（2002）『同和行政史』総務庁大臣官房地域改善対策室 p.103

第4章

社会システムに埋め込まれた差別
――「土地差別」を考える

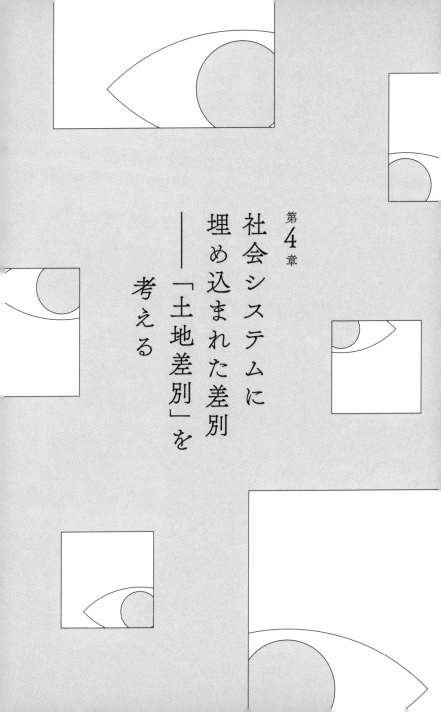

1 見えにくくなった部落差別？
――兵庫県淡路市調査（2021）

海外の「新しいレイシズム」研究が明らかにしたのは、「差別を解消するための政策が実行されるにつれ、差別のかたちが変わる」ということだ。偏見は見えにくくなり、社会構造の中に埋め込まれる。また、マイノリティに対する反感は、「偏見だと断じにくい」言葉によって表現されるようになる。

では、部落差別においてはどうなのか。

まず、「偏見が見えにくくなった」という点から考えてみたい。

参照するのは、兵庫県淡路市が2021年に実施した市民意識調査の一部である。淡路市は、淡路島の中・北部に位置する人口約4万2千人の市で、北は明石海峡大橋をはさんで神戸市、南は洲本市とつながる。この調査の回答者総数は810人である（調査対象者は18歳以上2500人、有効回収率32・4％）。

この調査では、最近、部落差別を見聞きした経験があるかを次のように聞いている。

あなたは、この5年間くらいの間に、同和問題に関して次のような発言を直接聞いたことがありますか。複数ある場合は、強く印象に残っているものを選んでください。（〇は1つ）。

1. 同和地区の人（子ども）とは、付き合っては（遊んでは）いけない
2. 同和地区の人とは、結婚してはいけない
3. 同和地区の人はこわい
4. 同和地区の人は無理難題を言う
5. 同和地区は治安が悪い
6. 住宅を購入する際、同和地区内の物件を避けた方がいい
7. 聞いたことはない

回答は、7つの選択肢から1択（複数ある場合は、強く印象に残るもの1つに絞る）である。

図2｜兵庫県淡路市（2021）——過去5年間で同和問題に関して聞いたことのある発言（n=810）

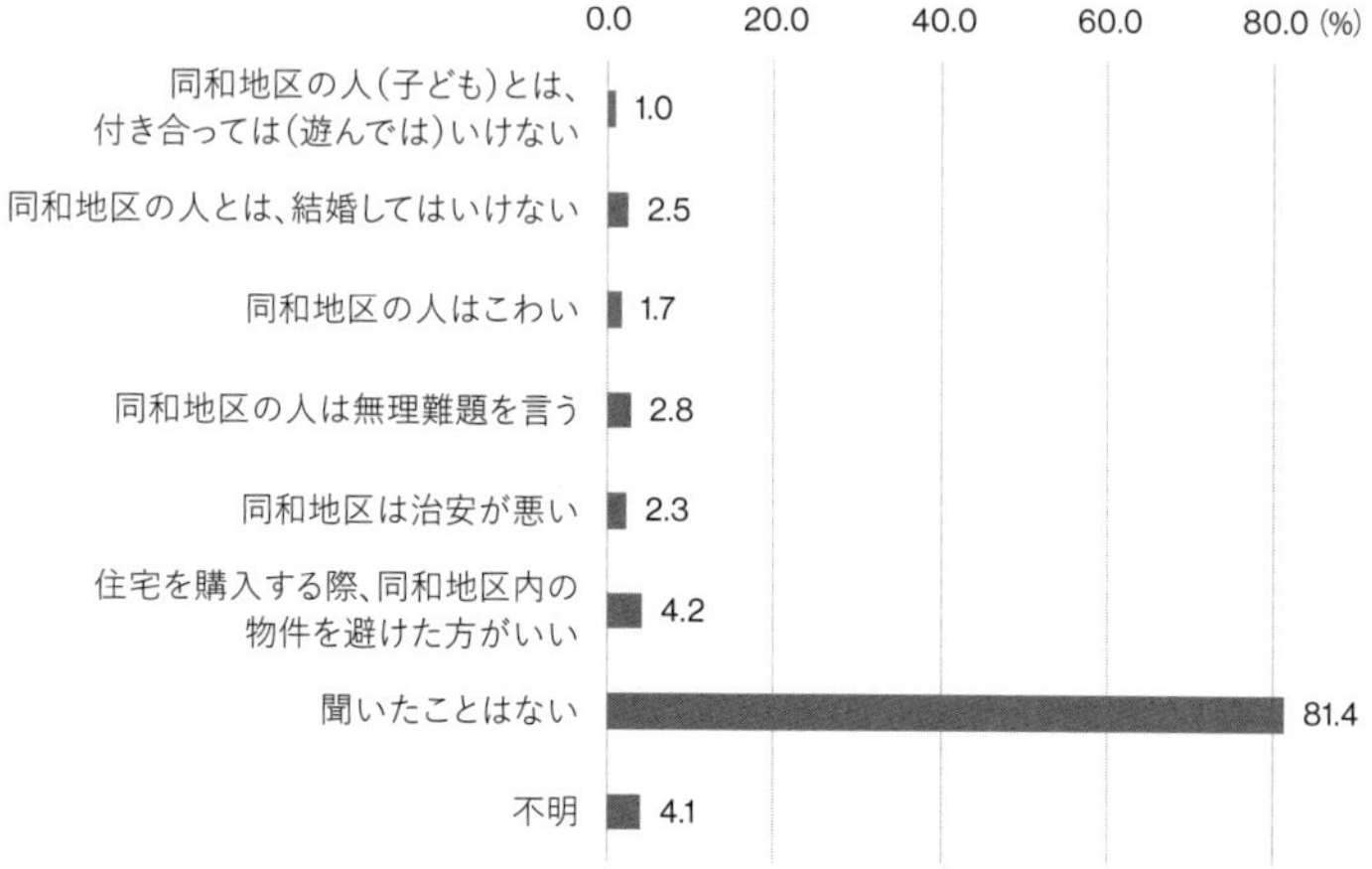

結果を図2によって見ると、圧倒的に多いのは「聞いたことがない」（81・4％）であった。逆に何らかの発言を聞いたことがある者は、合算すると14・5％で、その割合は5年前（2016）の調査から、4・3ポイント減少していた。つまり、誰かが目の前で差別発言をするのを直接に見聞きする経験は、「ない」人のほうが圧倒的に多く、「ある」人の割合も前回より減少した。日常の対人関係の中では、偏見は見えにくくなった、もしくは、実感しにくくなった、と言えよう。

このことを話題にしたところ、教員の友人は、「そもそも、部落問題を知らない若者が増えたからじゃないか」と反応した。教員の実感としては、同和対策事業の終了（2002）とともに、学校では部落問題を教える機会が減っており、だから部落問題についての知識が十分でない若

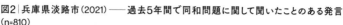

者が増えたのではないか、と感じるのだという。確かに、知らなければ、部落差別を意識することもないだろう。

2 差別を見聞きしなくなったのは「部落問題を知らない者が増えた」からではない！——内閣府世論調査

だが、データを見る限り、そうとも言えない結果が浮かび上がってくる。2つの全国調査——第1章で取り上げた総務庁「同和地区実態把握等調査」の意識調査（1993）と、内閣府が実施してきた「人権擁護に関する世論調査」（2003〜2017）——は、いずれも部落問題の認知経路（初めて知ったのはどのようなことからか）を聞いているので、比較の条件をそろえるため20歳以上の回答を比べつつ、その推移を見てみると、むしろ最近のほうが、部落問題を「知らない」者の割合は低くなっているのだ。もっとも、二つの調査の方法にはちがいがあり、内閣府調査も途中から条件が変わっているので、正確な経年比較とはいえないが、大まかな傾向としてこう指摘することができる。つまり、部落問題は知っている者が増えているが、差別を直接見聞きすることはむしろ減っている、ということである。

もっとも、「部落問題を知らない若者が増えたのではないか」という、友人の疑問に答えるには、若者の回答を確認しなければならないだろう。そこで、内閣府調査の、２０１７・２０２２年のデータを年齢階層別に見てみたい。ちなみに、内閣府調査は２０１７年から18歳以上を対象としているので、表５・６では、18歳以上の回答結果を比較している。

表中、やや高い割合となっているところに、目立つように色をつけているが、まず２０１７年調査（表５）では、「家族」のような私的な経路から部落問題を知ったという者は、「50歳代」以上に多く、「40歳代」以下では「学校の授業で教わった」が４割弱と高い割合となった。だが、若い年代でも30歳代以下では、「同和問題を知らない」と回答した者も２〜３割いる。２０１７年段階では、若者は部落問題を学校で知るか、もしくは全く知らないかに、二極化していたことがわかる。

だが、２０２２年調査（表６）では、かなりの変化がみられる。「学校の授業で教わった」が18〜29歳の最も若い層で10ポイント近く増えた。代わって「同和問題を知らない」が半減した。この歓迎すべき変化の理由は何だろうか。２０１６年末に「部落差別解消推進法」が施行されたことは一つの理由であろうが（第５条に部落差別をなくしていくため、必要な教育・啓発を実施する国・自治体の役割が記されている）、法律が成立して数年でここまでの変化が生じるというのも考えにくい。決定的な説明は難しい（なお２０２２年から調査法が個別面接法から郵送法・インターネット回答に変更された）。

表4｜部落問題の認知経路：20歳以上（1993～2017） (%)

	総務庁	内閣府			
	1993	2003	2007	2012	2017
	n=7002	n=2059	n=1766	n=1864	n=1737
家族から聞いた	21.7	17.5	17.8	17.1	19.7
親戚の人から聞いた	1.0	0.9	1.5	1.1	1.2
近所から聞いた	3.6	3.7	1.9	2.4	2.9
職場の人から聞いた	4.0	3.6	6.7	5.0	5.1
友だちから聞いた	7.3	3.4	3.9	4.3	3.6
学校の授業で教わった	13.5	16.8	19.7	19.5	22.5
TV・ラジオ・新聞・本等で知った	11.0	13.5	13.3	15.7	16.5
同和問題に関する集会や研修会	2.0	3	2.6	2.2	2.6
都道府県や市区町村の広報紙や冊子等	2.2	1.7	1.8	1.2	1.0
同和問題は知っているがきっかけは覚えていない	6.7	9.2	9.2	9.8	5.8
その他	1.2	1.7	1.1	0.9	1.4
認知経路回答なし	0.5				
同和問題を知らない	25.2	25.0	20.5	20.8	17.7
同和問題を知っているか，回答なし	0.1				

総務庁調査（1993）データはB票Aサンプルによる。同調査では、「同和地区」などと呼ばれる地区や「同和問題」「部落問題」「部落差別」などと言われる問題を「知っている」と答えた者（総数7,002の74.8%，5,234人）に対してのみ、認知経路を聞いている。そこで、内閣府調査と比較するため、総数（7,002）に対する割合を再計算して表に示した（ただし、回答者の実数は報告書に記載されておらず、パーセンテージを基に算出したため、実数とはわずかながらも差が生じている可能性は否めない）。また、2つの質問を組み合わせたために、各質問に対して回答なしの欄がある（内閣府調査には「回答なし」がない）。

内閣府調査は2012年までは20歳以上3000人を対象にしていたが、2012年から日本国籍者、2017年から18歳以上に条件が変わっている。ただし2017年調査は、18歳以上の全回答者と、20歳以上だけを抽出した回答結果を別々に集計し、内閣府が公開しているので、ここでは、20歳以上の回答結果を用いた。両調査とも、若干のちがいがあるものの、選択肢のワーディングはほぼ同じである。

総務庁（1995）『平成5年度同和地区実態把握等調査――意識調査報告書』，内閣府（2017）「人権擁護に関する世論調査」を基に作成

表5｜年齢階層別 部落問題の認知経路：18歳以上（内閣府 2017）

（%）

	18-29	30-39	40-49	50-59	60-69	70〜	総数
	n=126	n=207	n=297	n=308	n=404	n=416	n=1758
家族から聞いた	11.9	12.1	14.8	22.7	23.0	23.3	19.6
親戚の人から聞いた	-	1.4	1.7	-	1.7	1.4	1.2
近所から聞いた	0.8	0.5	1.0	2.3	2.7	6.5	2.8
職場の人から聞いた	1.6	2.4	4.7	5.5	6.2	6.3	5.1
友だちから聞いた	-	1.0	3.7	2.9	5.2	4.8	3.6
学校の授業で教わった	37.3	39.1	35.0	28.9	12.9	7.2	22.9
TV・ラジオ・新聞・本等で知った	15.9	14.5	17.8	13.3	17.6	18.0	16.5
部落差別等の同和問題に関する集会や研修会	-	1.0	1.3	2.6	5.2	2.4	2.6
都道府県や市区町村の広報紙や冊子等	-	-	0.7	1.0	1.5	1.4	1.0
知っているがきっかけは覚えていない	1.6	4.3	3.4	6.2	5.9	8.9	5.7
その他	0.8	1.0	0.7	0.3	1.0	3.4	1.4
部落差別等の同和問題を知らない	30.2	22.7	15.2	14.3	17.1	16.3	17.7

内閣府（2017）「人権擁護に関する世論調査」を基に作成

表6｜年齢階層別 部落問題の認知経路：18歳以上（内閣府 2022）

（%）

	18-29	30-39	40-49	50-59	60-69	70〜	総数
	n=163	n=170	n=240	n=298	n=287	n=398	n=1556
家族から聞いた	9.2	12.9	13.8	16.4	16.7	21.9	16.3
親戚の人から聞いた	-	-	0.4	2.0	1.0	2.0	1.2
近所から聞いた	-	-	0.4	1.3	0.3	4.5	1.5
職場の人から聞いた	1.8	5.3	3.3	2.7	5.6	3.5	3.7
友だちから聞いた	-	0.6	5.4	2.3	3.1	2.8	2.6
学校の授業で教わった	47.2	39.4	40.0	34.2	22.0	6.8	27.8
TV・ラジオ・新聞・本等で知った	10.4	12.9	11.3	14.4	22.0	17.3	15.5
インターネットで知った	4.3	7.6	5.4	3.0	1.7	0.3	3.1
部落差別・同和問題に関する集会や研修会	1.8	0.6	0.4	3.0	3.1	4.8	2.7
都道府県や市区町村の広報紙や冊子等	1.2	0.6	0.8	0.7	3.8	2.3	1.7
知っているがきっかけは覚えていない	8.0	4.7	5.0	7.0	9.8	20.1	10.4
その他	0.6	1.2	-	2.0	1.4	1.0	1.1
部落差別・同和問題を知らない	14.7	13.5	13.3	10.4	8.0	8.0	10.6
回答なし	0.6	0.6	0.4	0.3	1.4	4.8	1.7

内閣府（2022）「人権擁護に関する世論調査」を基に作成

このように1993年から最近までの変化を振り返ってみると、部落問題について知っている者はこの30年間に確実に増えており、それも、学校のような「公的経路」を通じて知る者が、とりわけ若い年代に多くなっていることがわかる。もっとも、学校で何をどこまで学習したかは、これだけではわからないが（この点は改めて後に問題にする）、学校は、正しい知識と反差別の態度を教える場であることには変わりない。つまり、このような教育が浸透した結果、あからさまな偏見を言葉や態度で表明する者が減り、それゆえ、部落に対する差別発言を直接に見聞きする場面が少なくなった、と淡路市の調査結果を解釈することができる。

3 — 部落差別の質的変化

だが、部落差別をなくすための教育や啓発が進められ、差別発言を見聞きしなくなったことは、一面では差別の解消過程を示しているとしても、「見聞きしないこと＝差別がない」とは、断言できない。「新しいレイシズム」研究が示したように、差別を解消するための政策が実行されると、偏見は公然と表明されなくなるが、代わって差別は社会システムや組織の慣行などに組み込まれたり、それまでとは異なる言説によって行われるようになるからだ。

実際に、インターネット上には部落に対する偏見に満ちた書き込みや、差別を助長・誘発する情報があふれている。これによって、2016年に施行された部落差別解消推進法の第1条には、「情報化の進展に伴って部落差別に関する状況の変化が生じている」との文言が盛り込まれることとなった。そして、とりわけここ数年の間、インターネット上で問題となっているのは、部落の所在地情報（地名、地名リスト、動画）の拡散である。

私は偏見に満ちた言説や、部落の所在地情報がネット上に拡散され始めたことで、部落差別の質的変化を痛感するようになった。

というのも、ネットに差別的な情報を拡散しても、その行為者は、匿名であれば責任を回避しやすい。SNS上の誹謗中傷に対応するため、侮辱罪が厳罰化され、「改正プロバイダ責任制限法」により、投稿者情報の開示請求の範囲や手続きは改善されたが、そのような手続きを踏むのは素人にとって簡単ではない。また情報を拡散する側は、いったん情報をネットに載せてしまえば、その後はソーシャルメディアを介して再投稿、コピー、転送が行われ、どんどんと広がってくのを待つだけでよい。そればかりか、部落の地名をソーシャルメディアにアップすれば、そこに第三者が参加して、例えば場所を特定するための目印など、さらに情報を書き加えてさえくれるのだ……。こうして差別につながる情報が、第三者の手を借りてどんどん広がり、精緻化される。やや極端な言い方だが、インターネットを利用すれば、「自分の手を汚す」のは最初の一回だけでよく、後は「部落の所在地を知りたい」者の心理を利用して、情報を拡散することができるのだ。

また、ネット上での部落の所在地情報の拡散は、実にトリッキーである。なぜなら、特定の誰かを名指し、「この人は部落出身者だ」などと言えば、それは明らかに個人に対する権利侵害となるが、「どこそこは部落である」と地名をあげるだけでは、表面的には個人の権利侵害には、見えにくいからだ。

これは注意すべき問題である。というのも、部落の地名を摘示・拡散することが、差別につながる危険な行為であることは、部落の地名が現代社会においてどのように利用されているのかを知らなければ、理解できないからである。

4 「土地差別」は社会システムに組み込まれた差別
——氷上町調査（2002）

ここで、部落の所在地情報（地名等）が現代社会において、どのような意味を持つのかを考えてみたい。

そのためにまず、兵庫県氷上町が2002年に実施した、人権意識調査の結果を取り上げたい（氷上町は兵庫県中部の、中山間地帯に位置し、2004年に5町と合併して丹波市となった）。この

氷上町調査(2002)

同和問題に関して次のような意見があります。それぞれについて、1から3のいずれかであなたのお考えに最も近いものに○をつけてください。

	そう思わない	そうばかりは言えない	そう思う
1. 同和地区出身者とのふだんのつきあいを特に避けようとは思わない	1	2	3
2. 住宅を購入するにあたって、同和地区かどうかを調べる人がいてもしかたがない	1	2	3
3. 人を雇う時、同和地区の出身であるかどうか身元調査をすることは差別とはいえない	1	2	3
4. 同和地区の地価が、周辺地域より安いのは差別である	1	2	3
5. 自分の身内が同和地区出身者と結婚したいと言ったら、本人同士のことなので反対しない	1	2	3

調査の回答者総数は1117人である(調査対象者は20歳以上2000人、有効回収率55・9%)。

氷上町では、部落問題について、上のとおり5つの意見を示し、それぞれについて、どう思うかを3件法(「そう思う」「そうばかりは言えない」「そうは思わない」から1択)で聞いている。結果は次頁の図3のとおりである。

さらに、この結果を要約的に見るために、「部落差別に反対する立場」に立つ回答の割合が多かった順に、5つの意見を並べ替えてみた。

見る人によってさまざまに解釈し得ると思うが、私が注目したのは次の点である。部落出身者との「結婚」「普段のつきあい」「雇用」など、対人的な関係においては、「差別反対」の態度を示す回答が7割前後あるのに対し、部落の「地価が安い」ことや、「住宅購入にあたって、その場所が部落かどうかを調べる」ことが、差別だ

図3｜兵庫県氷上町（2002）同和問題についての考え（n＝1117）

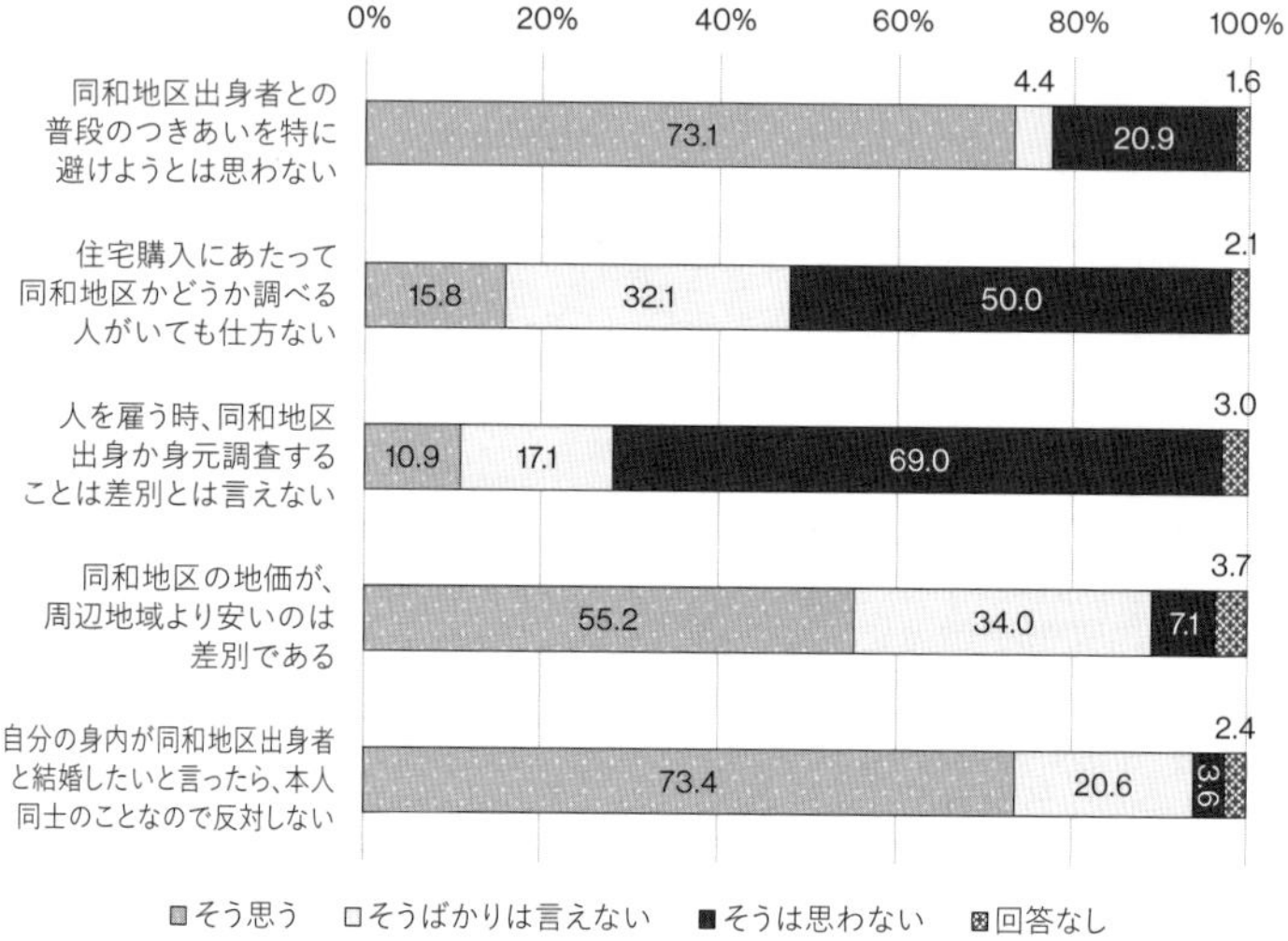

「部落差別に反対する立場」に立つ回答の割合が多かった順に並び替え

- 自分の身内が同和地区出身者と結婚したいと言ったら、本人同士のことなので反対しない ---- 73.4%（そう思う）
- 同和地区出身者との普段のつきあいを特に避けようとは思わない ---------- 73.1%（そう思う）
- 人を雇う時、同和地区の出身であるかどうか身元調査をすることは差別とは言えない ------ 69.0%（そうは思わない）
- 同和地区の地価が、周辺地域より安いのは差別である ---------------- 55.2%（そう思う）
- 住宅を購入するにあたって、同和地区かどうかを調べる人がいても仕方がない ---------- 50.0%（そうは思わない）

と感じている者の割合は5割台にとどまっている。つまり「人」(部落出身者)に対する差別には、「それはいけないことだ」と敏感に反応するのに、部落の「土地」については、その感度は鈍る。対人的な場面では、自分の態度(偏見)を直接表明することになるので、おそらく敏感になるのだろう。これに対して、部落の「地価が安い」ことは、部落差別が市場(マーケット)の中に組み込まれた結果であり、自分の意識・態度のありようを変えるだけでは、すぐに解決できそうにない……つまり「市場に組み込まれた部落差別」という、自分自身ではいかんともしがたい問題があるのだから、その影響を受けている物件をあえて買いたくない、と考える人がいるのも仕方がない……データが示しているのは、このような意識ではないだろうか。

この「市場に組み込まれた差別」こそ、「新しいレイシズム研究」がいうところの「社会システムに組み込まれた差別」の一つの典型だ。そしてこのような差別は、個人レベルの偏見とは異なり、自分の心がけでは解決しがたいという「あきらめ感」、もしくは、自分個人の責任ではない、という「免責感」によって、受容されやすくなってしまう。このことが、部落の土地が忌避され、安価に取引されること(いわゆる「土地差別」)を深刻な差別だと受け止める者の割合が、相対的に低かったことの背景にあるのではないか。そして、インターネット上で行われる部落の所在地情報の拡散は、このような「社会システムに埋め込まれた差別」を前提に行われている。

5 「人」より「土地」に対して強く現れる忌避意識
——大阪府堺市調査（2015、2020）

部落差別においては、「人」に対する忌避よりも、「土地」に対する忌避意識が、より強く現れることは、他の調査でも確認できる。大阪府堺市の2015、2020年の意識調査のデータを見てみよう。堺市は大阪府南部の政令市で、府内では大阪市に次ぐ第二の都市であり、人口は約81万人である。この調査の回答者総数は2015年が1293人（16歳以上3000人が対象、有効回収率43・1％）、2020年が1165人である（16歳以上2500人が対象、有効回収率46・6％）。

堺市調査では、「子どもが部落出身者と結婚する場合」と、「住宅を選ぶ場合」という二つの場面をあげ、それぞれに対してどのような態度をとるかを聞いている。これらの結果から、「人」（部落出身者）と「土地」に対する忌避意識の表れ方のちがいを見る。質問と、その結果は以下のとおりである。

【結婚】もし、あなたのお子さん（お子さんがいない場合は、いると仮定してお答えください）が恋愛をし、結婚をしたいと言っている相手が同和地区の人であった場合、あなたは親とし

て、どのような態度をとると思いますか。（あてはまる番号1つに○）

1. 反対する（2015年は、「頭からとんでもないと反対する」）
2. 迷いながらも、結局は反対する
3. 迷いながらも、結局は賛成する
4. 賛成する（2015年は、「ためらうことなく賛成する」）
5. わからない

【住宅の選択】もし、あなたが、家を購入したり、マンションを借りたりするなど住宅を選ぶ際に、同和地区にある物件、もしくは小中学校区に同和地区がある物件ならばどのようにすると思いますか。（あてはまる番号1つに○）

1. 同和地区や同じ小中学校区にある物件は避けると思う
2. 同和地区である物件は避けるが、同じ小中学校区にある物件は避けないと思う
3. いずれにあってもこだわらないと思う
4. わからない

図4|大阪府堺市(2015, 2020)子どもの結婚相手が同和地区の人であった場合

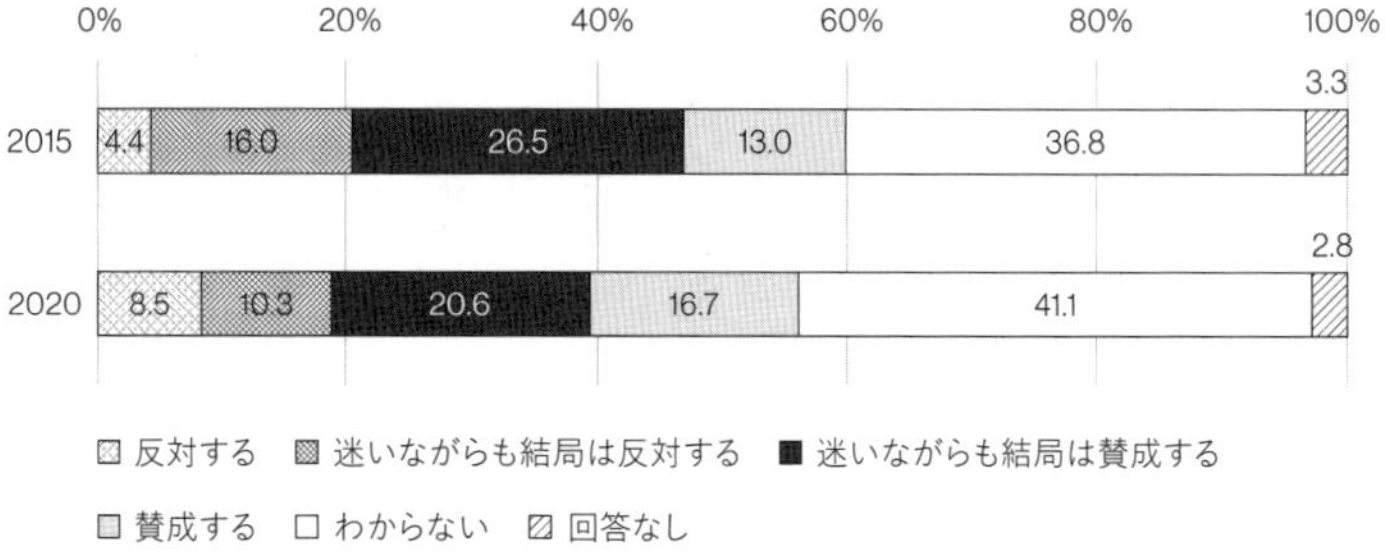

		反対+迷いながらも反対	賛成+迷いながらも賛成	わからない
2015	n=1293	20.4%	39.4%	36.8%
2020	n=1165	18.8%	37.3%	41.1%

図5|大阪府堺市(2015, 2020)住宅を選ぶ際に同和地区・同じ小中学校区の物件を避けるのか

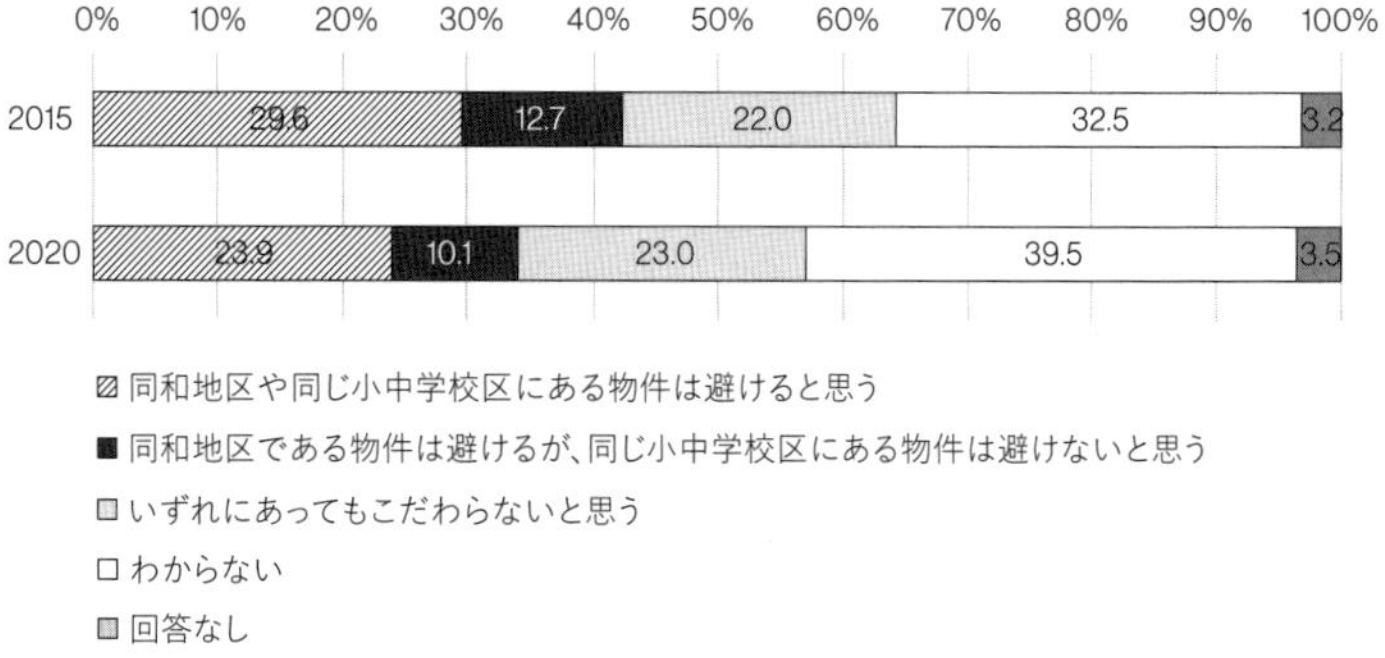

		同和地区を避ける	いずれにあってもこだわらない	わからない
2015	n=1293	42.3%	22.0%	32.5%
2020	n=1165	34.0%	23.0%	39.5%

結婚

結果は図4のとおりである。子どもの結婚相手が部落出身者であった場合、親として、どのような態度をとるか、「反対する」、「迷いながらも、結局は反対する」、「迷いながらも、結局は賛成する」「賛成する」、「わからない」から1択で回答を求めた。回答結果を要約的に見るために、「反対する」「迷いながらも、結局は反対する」を合算して「反対」、「迷いながらも、結局は賛成する」「賛成する」を合算して「賛成」とした数値も、図の下に示した。すると、2015・2020年の2回の調査とも、数値はほとんど変わらず、「賛成」が4割弱、「反対」が2割前後となった。

住宅の選択

結果は図5のとおりである。住宅の購入・賃貸で、同和地区や同じ校区の物件に対してどのような態度をとるか、「同和地区や同じ小中学校区にある物件は避けると思う」「同和地区である物件は避けるが、同じ小中学校区にある物件は避けないと思う」「いずれにあってもこだわらないと思う」「わからない」から1択で回答を求めた。結果を要約的に見るために、「同和地区や同じ小中学校区にある物件は避けると思う」と「同和地区である物件は避けるが、同じ小中学校区にある物件は避けないと思う」を合算し、ともかくも「同和地区を避ける」割合を図の下に示している。

すると、「いずれにあってもこだわらない」割合は2回の調査とも、2割強で変わらないが、「同和地区を避ける」は42・3%（2015）、34・0%（2020）である。

ここで気づくのは、部落出身者との結婚には、「賛成」4割、「反対」2割であったのが、部落の土地に対しては、「避ける」が3割台半ば〜4割、「こだわらない」が2割となり、忌避する割合／しない割合が、逆転するということだ。もっとも、二つの質問は回答の尺度がちがうので、単純には比べられないが、部落の「土地」に対する忌避意識のほうが、「人」に対する忌避意識よりも、強く現れることを大まかには指摘できよう。

なお、結婚・住宅の選択とも、経年で「わからない」が増えたことも、気になった。しかも、2020年になると、「わからない」と答えた者の割合は、部落を忌避する／しないのいずれかの態度を表明した回答よりも、多くなっている。判断すらできないのは、部落問題について十分な知識がないためかもしれないが、「わからない」の割合は、年齢階層による偏りもなかったので、「若いから知識が不十分で、判断できなかった」というような説明は、あてはまらない。「わからない」の理由をさぐることは、今後の課題である。

6 ― 部落の土地を避ける理由

さらに堺市の調査では、部落の土地を「避ける」と答えた回答者に対してのみ、「あなたはなぜそのように思うのですか」と、避ける理由を聞いている（回答者は、2015年547人、2020年396人）。

【部落の土地を避ける理由】（本書89頁「住宅の選択」の問いに「1」「2」と答えた者のみ）

あなたはなぜそのように思うのですか。（2015：答えはいくつでも　2020：あてはまる番号1つに○）

1. こわいイメージがあるから
2. 自分も同和地区出身者と思われるから
3. 周りの人から避けた方がよいと言われるから
4. その他（　　　）

回答は、右の選択肢の4つから選ぶよう求めている（2015年は複数回答、2020年は1択）。回答方式が異なるので、数値の経年比較はできないが、図6・7のとおり、両年とも傾向は変わらない。

選択した者が最も多い「こわいイメージがあるから」は、部落に対する偏見である。これに

図6｜大阪府堺市（2015）——同和地区を避ける理由（複数回答 n=547）

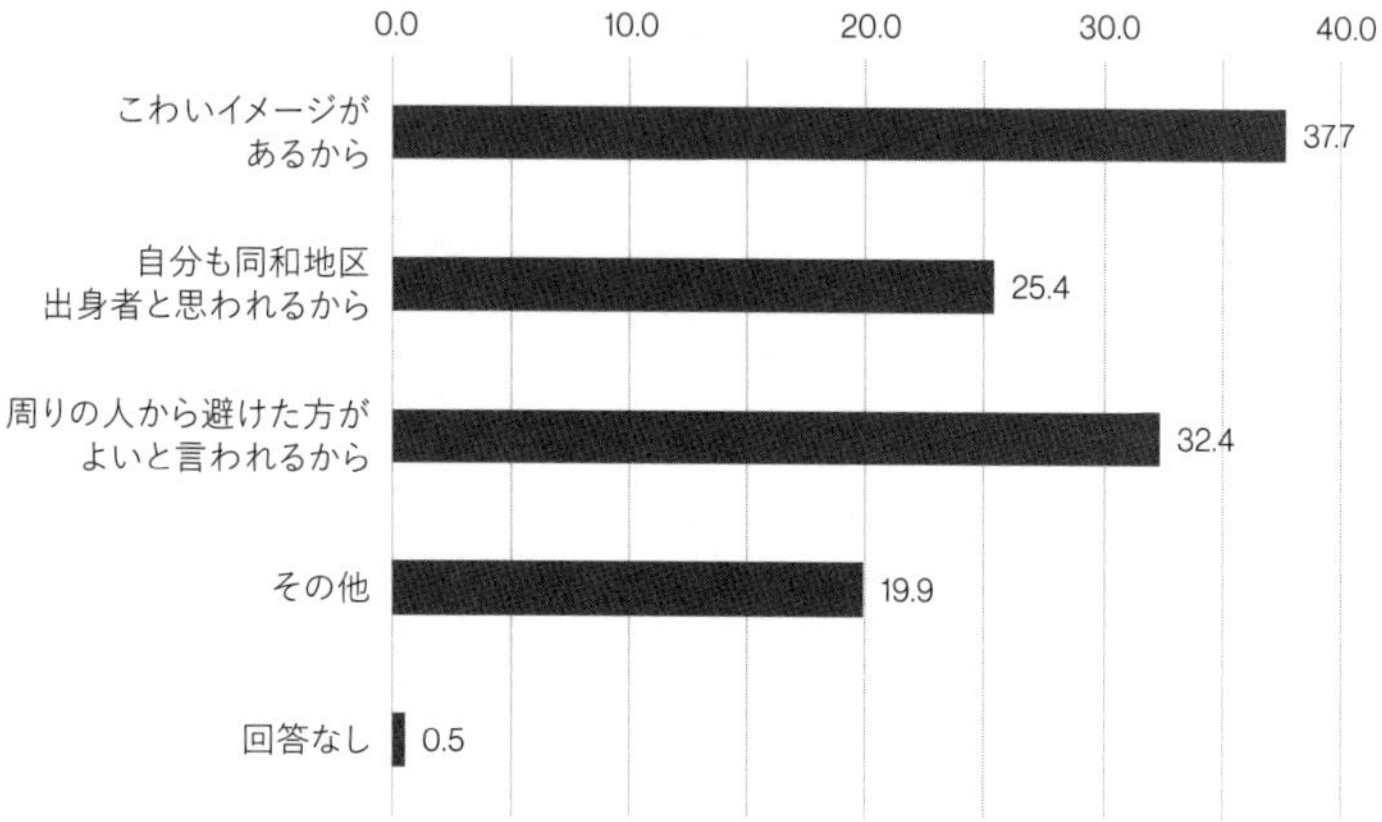

図7｜大阪府堺市（2020）——同和地区を避ける理由（択一 n=396）

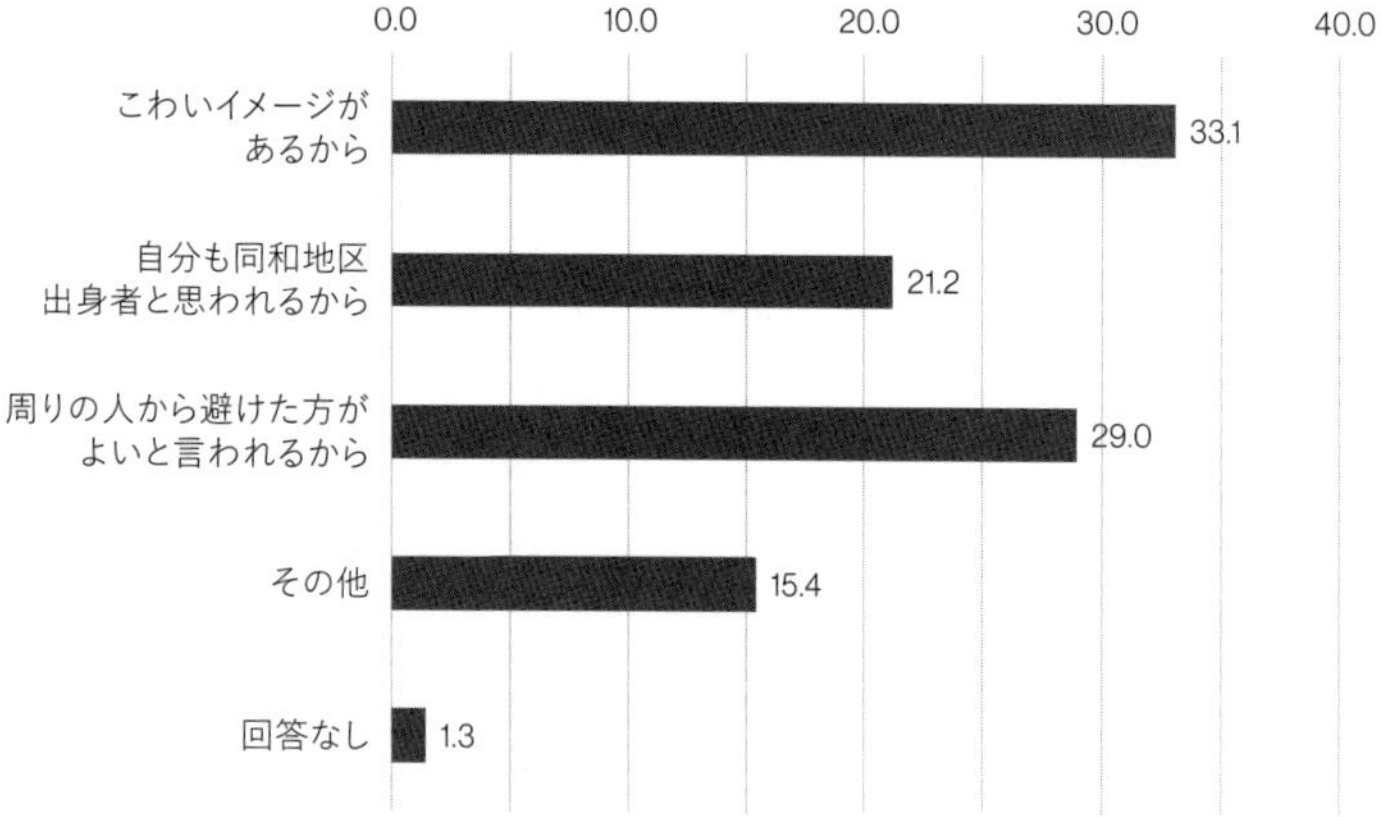

続く「周りから避けた方がよいといわれる」は、世間同調的な態度を示す。そして「自分も同和地区出身者と思われるから」（両年とも2割以上が選択している）は、同和地区や周辺地区に関わりを持つと、自分自身が部落出身者と見なされるかもしれないという怖れ、すなわち「見なし差別」を回避する心理を示す。

さらに、「その他」を選んだ者も19・9％（2015）、15・4％（2020）と、まとまっている。これを選んだ場合、自由回答欄に具体的な記述ができるようになっていたので、その内容を見てみると（2015年は88人、2020年は49人が記入）、両年とも、「治安が悪い」「不良が多い」など、偏見や一方的なイメージに基づく書き込みが多いが、2015年には、「不動産としての資産価値」に関わる記述（「売却に影響」「資産としての評価が低い」「地価・採算が低い」など）が11件とまとまっていることが注意をひいた（同様の書き込みは2020年には1件しかないが、コロナウイルス感染症の影響を強く受ける時期であったので、不動産売買はリアリティのある質問でなかったのかもしれない）。

つまり、部落差別は市場（マーケット）に組み込まれており、そのために「自分が経済的不利益を被らない」ために、部落の土地を購入することは避けたい、と考えているのである。実際、学校の統廃合によって校区が変わることになると、そこに部落が含まれることで「地価が下がる」というような反対の声があがるといった例は、これまでもあった。[1] 部落の土地に対する忌避意識は偏見と共に、「見なし差別」回避の心理、市場に埋め込まれた部落差別（それが地価に跳ね返る）とが、複合して起きている。

だが、ここで立ち止まって考えてみてほしい。現代の部落差別は封建時代の身分制度に由来する、と言われるが、そもそも「不動産の資産価値」を理由に部落の土地を忌避するなど、封建時代の人びとには何の関係もない、きわめて現代的な現象である。差別は、このように社会変化の中で、差別「する側（人）」の都合、利害によって作り替えられるのだ。

さらに第1章で紹介した、国際人権条約における差別の定義を思い出してほしい。差別とは「人の属性・特性を理由に、区別・排除を行い、権利の享受や行使を妨げ害すること」である。つまり、区別・排除され、権利の行使を妨害されるのは「人」であるのに（人権の主体は人であるから）、部落差別においては、「土地」も忌避の対象となるのだ。

このことを、社会学者の奥田均は「部落の土地差別問題」と呼び[2]、また部落解放運動でも「土地差別」調査の規制を行政に対して求めて来た。これに対して歴史学者（部落史）の上杉聰は、「差別とはあくまで人にむけられるもの」であり、「土地などの物体は、さまざまに価値づけ評価されることはあっても、それを『差別』とは呼んでこなかった」と述べ、「土地差別」という表現には違和感を覚える、と記している[3]。差別の定義に立ち返るなら、もっともな意見である。

だが、部落差別には属人性ばかりでなく属地性があることを、端的に言い表す言葉は他になかなか見つからない。「部落の土地との関りを持つことを忌避する差別」であるとともに、そのような人びとの意識を背景に、「部落の土地を識別・区別し、不動産取引の対象から排除する差別」と表現するのでは長すぎる。そこで、「土地差別」という言葉が含み込む矛盾も理解した上で、本書でもこの用語を使用している。

7 インパーソナルな聞き方をした場合——兵庫県姫路市調査（2021）

ところで、これまで検討してきた堺市のデータは、「子どもが部落出身者と結婚する場合」「住宅を選ぶ場合」に、あなたはどういう行動をとるのか？と聞いた結果である。つまり、回答者自身の意識・態度を聞いている。

これに対して、「結婚や、住宅を選択する際に、今なお、部落出身者や部落を忌避するような差別があると思いますか」と聞くことは、よりインパーソナルな聞き方である（「世間一般はどうか？」と聞かれるほうが、「あなたはどうするのか？」と聞かれるより、回答者にとっては距離感がある。一般には、そのほうが心理的圧迫を感じずに回答しやすいと言われる）。このような聞き方をした場合、回答者はどのように反応するだろうか。併せて見ておきたい。

ここでは、兵庫県姫路市による人権意識調査（2021）の結果を取り上げる。姫路市は兵庫県南西部に位置する、人口約52万人の中核市で、この調査の回答者総数は1202人である（調

姫路市調査（2021）

あなたは、同和地区や同和地区の人びとに対して、現在、次のことについて差別があると思いますか。それぞれについて、1から5のいずれかであなたのお考えに最も近いものに○をつけてください。

	明らかな差別がある	どちらかといえば差別がある	ほとんど差別はない	差別はない	わからない
1 日常の交流や交際	1	2	3	4	5
2 就職について	1	2	3	4	5
3 結婚について	1	2	3	4	5
4 引っ越しや住宅の購入（同和地区を避ける人がいること）	1	2	3	4	5
5 インターネットを介した同和地区の地名や所在地を明らかにするような書き込み	1	2	3	4	5

査対象者は18歳以上3000人、有効回収率40・1%）。

姫路市調査では、5つの場面――「日常の交流や交際」「就職」「結婚」「引っ越しや住宅の購入（同和地区を避ける人がいること）」「インターネットを介した同和地区の地名や所在地を明らかにするような書き込み」――をあげ、現在も差別があると思うかを聞いている。回答は、「明らかな差別がある」「どちらかといえば差別がある」「ほとんど差別はない」「差別はない」「わからない」から1択である。

「明らかな差別がある」と「どちらかといえば差別がある」を合算し、ともかくも差別が「ある」と回答した割合が多かった順に並べると、次のようになる（図8の%は、小数点第二位で四捨五入しているので、これを基に合算しても、丸め込まない数値を基に合算した以下とは、若干異なる）。

図8｜兵庫県姫路市(2021)——現在、部落差別があると思うか(n=1202)

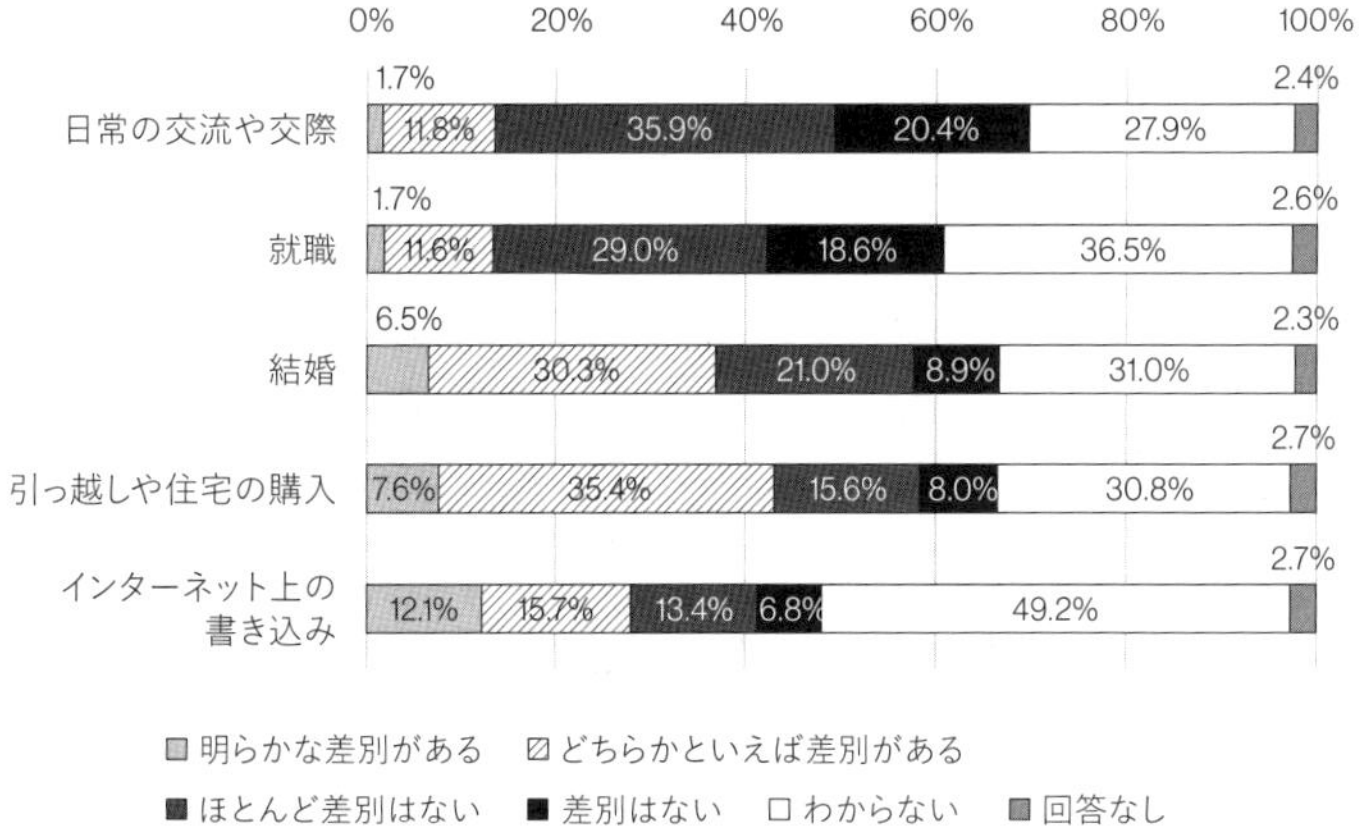

引っ越しや住宅の購入　42・9%
結婚　36・8%
インターネット上の書き込み　27・9%
日常の交流や交際　13・5%
就職　13・3%

「引っ越しや住宅の購入」が最も多く、「結婚」を上回った。インパーソナルな聞き方をされても、やはり、「人」（同和地区出身者）よりも「土地」（同和地区）に対するほうが、「差別がある」と認識している市民が多いということになる。

同和対策審議会答申（1965）には、「結婚に際しての差別は，部落差別の最後の越え難い壁である」という記述があるが、答申に記されていたような、かつての状況——答申には、とりわけ結婚（及び就職）に際しての差別を多くの部落住民が経験し、部落内外の通婚が「きわめて限られて」

いたことなどが記されている――は、その後、大きく変わって来た。人権施策、教育・啓発等の成果である。[4]

なお、「インターネット上の書き込み」も3割弱あり、同市が実施した5年前の調査（2016）と比べると、差別が「ある」と考える者は、12・4ポイントも増加し、ほぼ倍増したことが注意をひいた。ネット上での、部落の所在地情報の拡散が深刻化している事態を反映しているのではないかと考えられる。

8 市民意識調査の質問に「土地差別」が入ったことこそ新しい

部落差別の現代的変容の例として「土地差別」を取り上げてきたが、そもそも、「土地差別」にかかわる質問が、市民意識調査の項目に入るようになったこと自体、時期的には同和対策審議会答申より、ずっと後のことである。

国レベルで実施された市民意識調査に関していえば、1993年の総務庁「同和地区実態把握等調査」（意識調査）には、「土地差別」に関する質問はない（もちろん、1985年の総務庁調査にもない）。市民の部落に対する忌避意識を聞く質問では、「結婚」と「日ごろの付き合い」の

2つの場面しか取り上げていない。

社会学者の小森哲郎の論考（1993）によれば、1987〜93年以降に国・自治体が実施した計54の部落問題に関する意識調査のうち、土地に関する質問を聞いていたのは4自治体のみであった。具体的には、「家を探していたら適当な物件があったが、それが部落内の場合どうするか」というような質問で、北九州市、鈴鹿市では「条件が良くても買いたくない」が全体の3分の1、逆に大分県では「買って住む」が3分の1強であった。

小森の論考を踏まえるなら、「土地差別」は、80年代の終盤から、徐々に各地の自治体が取り上げるようになった質問項目だということになる。以前はなかった質問が、調査項目に取り上げられるようになったのは、「土地差別は問題である」という認識が高まったからである。

ところで、奥田均は『土地差別問題の研究』の中で、自身が土地差別を研究テーマとするようになったのは「O住宅事件」がきっかけであったと記しているから、「土地差別」がまさに社会問題化されていったのは、この事件が契機になったと考えられる。

同書によるとこの事件は、福岡市内にある住宅販売会社（O住宅）から、1977年、念願のマイホームを購入したN氏が、その住宅が部落内にあることを知るに至り、売主O住宅に対して買戻しを要求するも受け入れられず、O住宅の「悪徳商法」に対する抗議ビラを、1983〜85年にかけて市内を中心に5万枚もまいたという事件である。「部落であると知っていたら、絶対買わなかった」という内容の部落差別ビラは、地元の人びとに大きな衝撃を与えた。地元の訴えを受けた法務局や福岡市はN氏に対して説得と啓発を行うが、ビラまき行動はやまず、ついに裁判に至った。

9　土地差別調査を規制する「大阪府部落差別事象に係る調査等の規制等に関する条例」

「土地差別」のように、社会システムに埋め込まれた差別に対して、個人の心がけを説くだけでは、問題は解決しない。社会システムそのものに働きかける取り組みが必要である。2011年10月、大阪府が土地差別調査を規制する全国初の条例を施行したことは、このような取り組みの一つとして注目される。

そのきっかけとなったのは2007年に、マンション建設候補地の立地条件を調査するマーケティングリサーチ会社が、部落の所在地等を調査・報告していたことが、通報によって明らかになったことだった。この調査はデベロッパーが広告会社に依頼し、さらに、このリサーチ会社に委託されていた。

2011年の条例は、1985年に制定された「大阪府部落差別事象に係る調査等の規制等に関する条例」を一部改正したものである。身元調査による人権侵害を防止するため、興信所・

探偵社に規制を課す条例に、さらに土地調査等を行うすべての事業者が対象に加えられた。部落の所在地の一覧などを提供したり、特定の場所や地域が部落かどうかを教示してはならないことが定められ、違反した場合、府が勧告・事実の公表などを行う。

ちなみに大阪府では、宅地建物取引業関連業界と共に、1991(平成3)年から6年ごとに「宅地建物取引業者に関する人権問題実態調査」を実施している。調査対象は、大阪府内に事務所を有する宅地建物取引業者である。

その結果を見ると、物件が同和地区であるかどうかの質問を府民または宅地建物取引業者から受けた経験がある回答者は、1991(平成3)～2009(平成21)年までは、4割弱～5割に達していた(図9)。ただし、2015(平成27)年、2021(令和3)年の直近2回の調査では、1割台となった。また、「同和地区あるいは同じ小学校区が理由で、取引不調になった経験」は、1991～2009年までは、2割を超えているが、直近2回の調査では1割未満である(図10)。土地差別調査を規制する条例が施行された2011年以降は、その割合が下がったことがわかる(なお、調査対象となった業者がすべて回答しているわけではなく、最新の2022年調査では、有効回収率は41・2%であったことを付記しておく)。

部落差別が、市場という社会システムの中に組み込まれるのは、現代社会において、土地が資産となるからだ。その価値の判定には、マジョリティ(社会の多数派)の忌避意識と利害とが、容易に組み込まれてしまう。

図9｜大阪府・不動産に関する人権問題連絡会——物件が同和地区であるかどうかの質問を受けた経験

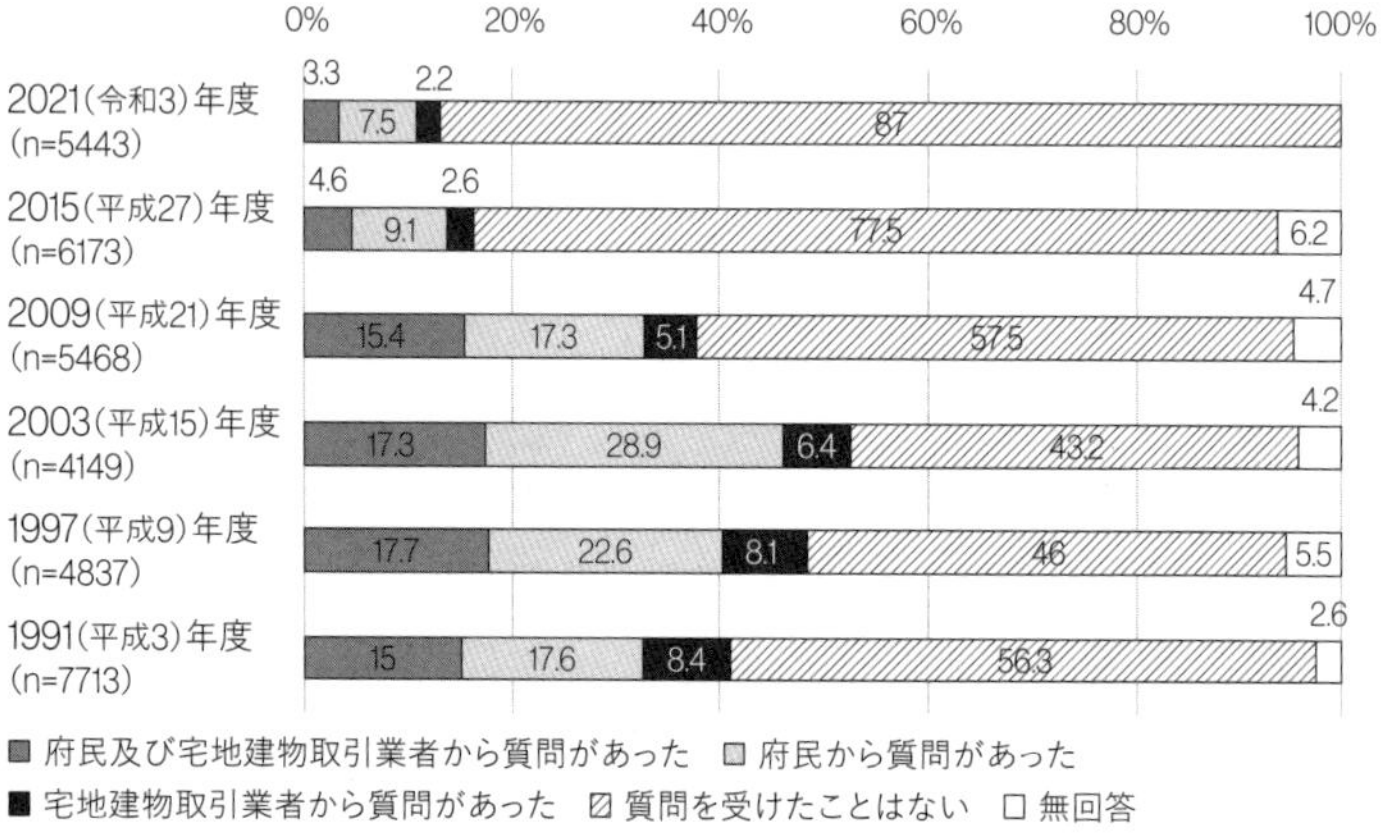

『宅地建物取引業者に関する人権問題実態調査報告書』(2002)を基に作成

図10｜大阪府・不動産に関する人権問題連絡会——同和地区あるいは同じ小学校区が理由で取引不調になった経験

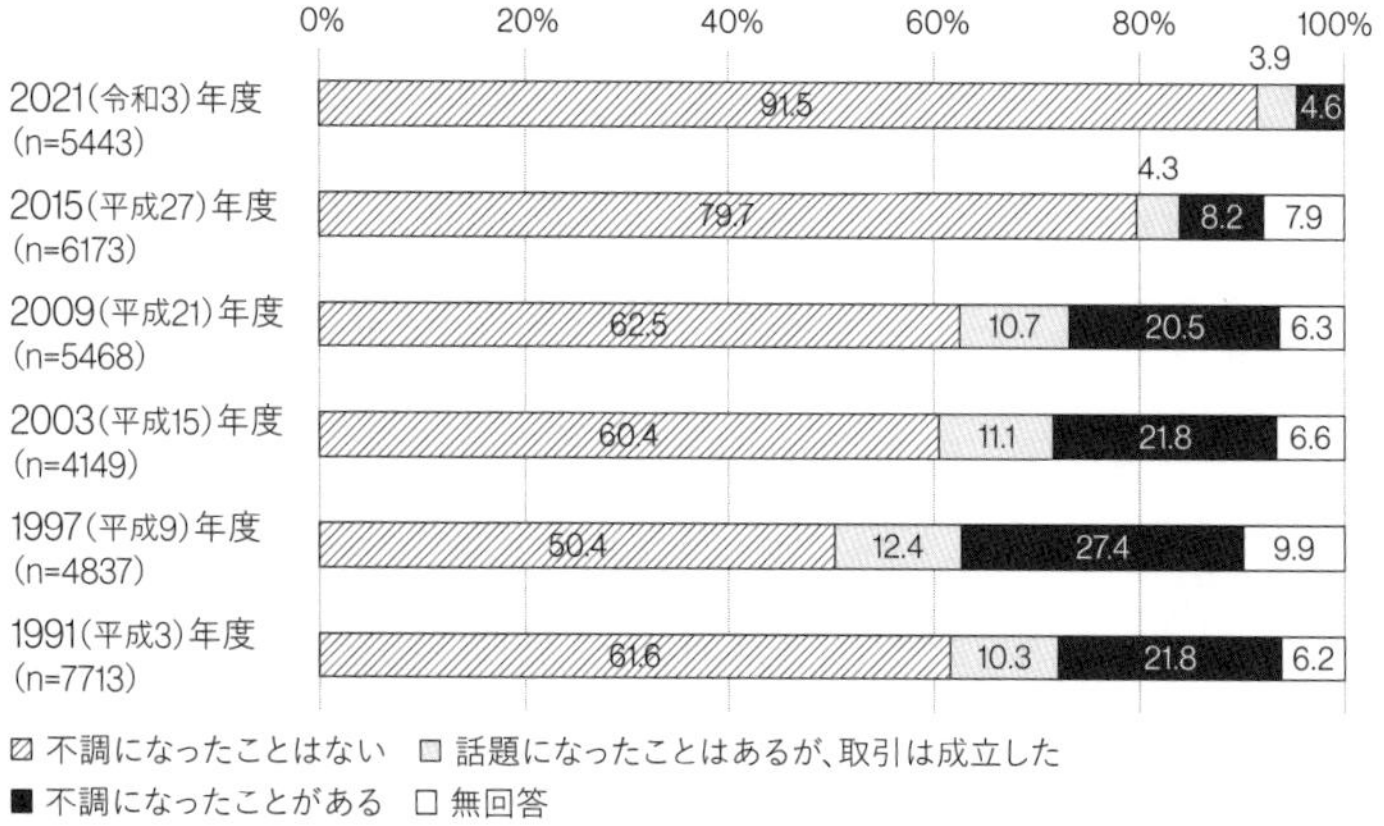

『宅地建物取引業者に関する人権問題実態調査報告書』(2002)を基に作成

10　つくられた差別の町

自分の町の境界線が、どのように引かれ、なぜそこに「一般的にいって、人々が嫌悪したり、蔑視しがちな種々の施設」――食肉センター（屠場）や美化センター（塵芥焼却場）、「畜犬センター」――が集約されているのかを、明らかにした高田寛明という人がいる。1970年代のはじめ、仕事上の必要から住宅地図を見ていたとき、高田は自分の町の境界が、住民の生活圏をはるかに超えて、これらの施設を含み込むよう拡大されていることに疑問を持ち、戦前からの議会の記録や史料を調査し、地元の聞き取りなどを行って、その経緯を明らかにしていった[5]。

兵庫県南西部、播磨地方のこの町は、明治期になってから新たに形成された部落である。1901（明治34）年に開設された屠場の労働者・関係者が周辺に住み始め、その近くに置かれた陸軍第10師団への食肉供給を担うようになった。軍隊では大量の皮革も必要とするから、大規模な皮革工場も建設され（1905）、続いて塵芥焼却場も置かれた（1925）。そして1929年、周辺地域の有力者がリーダーシップをとって「耕地整理」が行われると、これらの諸施設を切り離すかのように東西に延びる道路が作られ、施設の集中する北側には、南側にあるT町とは異なる町名が付けられた。

北側にあるこの町は、公的には1929年に、南に隣接していたT町から独立したことになっているが、「実際には部落差別によって町が『独立』形成させられ[6]」たのであり、その背景には、屠畜に対する人々の蔑視観と共に、これら諸施設のある町を切り離さなければ、自分たちの土地の値段にも影響が及ぶ、という周辺地域の有力者の考えがあったからではないかと高田は述べている。人びとに蔑視されることの多い施設を部落や近辺に集中して造り、境界線をひき、そこを区別・排除したのは、差別「する人（側）」なのである。

1――大阪府内の、校区再編に伴う80年代の反対運動の例は、部落解放研究所が企画したVTR「ドキュメント被差別部落 繁栄の時代を支えて」（1992）にも登場する（プロデューサー是枝裕和）。

2――奥田均（2003）『土地差別問題の研究』解放出版社

3――上杉聰（2014）「『部落』における『人』と『土地』について――『部落』とはなにか？」大阪市立大学人権問題研究会『人権問題研究』（14）

4――同和対策審議会答申には、「結婚に際しての差別は，部落差別の最後の越え難い壁である。関係住民の結婚は，伝統的に『部落内婚』の封鎖的な形態をとり，ほとんどが同一地区民間か他地区住民との間で行なわれ，一般住民との通婚は，きわめて限られている」とあった。1993年に総務庁が実施した最後の同和地区実態調査によって、地区住民の夫婦の出身地をみると、「夫婦とも部落」が57・5％、「いずれか一方が部落外」が36・6％となり、さらに年齢階層別に見ると、若い年代ほど、「いずれか一方が部落外」が増え、「25歳未満」では67・9％となった（これに対し、「夫婦とも部落」は、60歳以上で7割を超えた）。

5――高田寛明（1978）『つくられた差別の町――近代姫路・ある部落の歴史』解放出版社

6――高田（同書）p.4

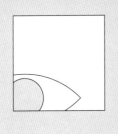

第5章
部落出身者判定の手がかりにされる部落の所在地情報（地名等）

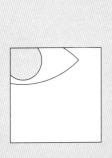

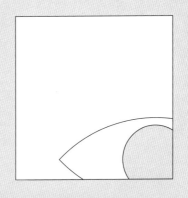

1　1984年「人権展」の図録を手にして

長年の友人が、自分の本棚にあったという冊子を手渡してくれた。1984年に部落解放同盟大阪府連合会が発行した『部落差別――写真で見るその現実』[1]というその冊子は、同年に大阪で開催された「人権展」という啓発イベントに展示された写真パネルの図録である。長年、在日コリアン当事者として、人権運動に携わって来た友人は、20代半ばだった当時、このイベントに足を運んだという。私よりわずかに年上だが、何歩も先をいく人である。

ここには、1970年から81年までに起きた、10の結婚差別が示されている。うち、結婚差別を乗り越えて結婚に至ったものが1、配偶者の実家で家に上がることが許されないなどの差別を受けながらも結婚を継続しているものが1（ご本人の投書が紹介されている）、その他は離別している（うち、自死に至った人が4人）。いずれも部落出身者ではない側の親が、強硬に結婚に反対しており、暴力、虐待、中絶の強要などがあった。70年代といえば、半世紀ほど前のことだが、私にとっては、自分より10歳ほど年上の人たちの経験であり、遠い話とは思えない。中には相手側が行った身元調査で部落出身を暴かれたことで、初めて自分のルーツが部落にあると知った人もいる。

一方、離別に至っても、差別が不当であることを裁判に訴えた女性もいる。交際を始めた当初から、女性は相手に自分が部落出身であることを伝えていたが、婚約の準備が始まると、男性側の両親が強硬に反対し、やがて男性も態度を変え、1977年に婚約解消を伝えてきた（この男性は、その後4年間も知人宅に身をひそめ、女性の前に姿を見せなかった!）。1983年大阪地裁判決は、部落差別による婚約不履行に対し、男性と両親に慰謝料500万円の支払いを命じた。

ところで、この冊子には結婚ばかりでなく、職場での差別事件、差別落書き、差別投書などの事例も掲載されている。差別文書が部落外に居住していた部落出身者の自宅に送り付けられていたケースもあった。その人が部落出身者だと特定して、文書を送り付けているのだ。それは、差別「する人（側）」が、相手の出自を何らかの方法で知りえた、ということである。

2 ― 戸籍による「系譜的」身元調査

部落差別とは、封建時代の身分差別に由来する。近世封建社会においては、社会的身分は固定・継承されたが、近代になって身分制度は廃止された。だが、かつて被差別身分に置かれ、えた・ひにんなどと呼ばれていた人びとへの差別は、根強く社会に存在し続け、その子孫にも向けられることとなった。つまり部落差別は「系譜的な差別」である。だが、現代社会において、そのような過去のルーツをいったい、どのように知りえるというのか？

ところで、「人の身元を知りたい」というのは、近代社会の「自由」から生じた（そして、その自由を無化する）ニーズである。というのも、封建時代のムラ社会においては、ある人が「どこの誰なのか」は自明のことであったが、身分制度が廃止されると人の移動が自由になる。移動は近代化・都市化と共に進み、さらに戦争や自然災害を経験すると、目の前にいる誰かが、かつての被差別身分にルーツを持つかどうかを判定するのは難しくなり、そこに身元調べのニーズが生じた。都会に比べ地方では、人の移動の規模が小さいといったちがいはあるが、一般論としてはこのように言える。

そして、身元調査の手がかりに使われることとなったのが、戸籍であった。

1871（明治4）年の戸籍法に基づいて、翌年編纂された日本初の全国戸籍「壬申戸籍」には、旧身分が判別可能な形で記載されたものが少なからずあった。かつて被差別身分に置かれていた人びとは、一般民籍に編入されることになっていたにも関わらず、「元えた」「新平民」などと記載されたものがあったのである。また、氏神・寺も記載されていたので、これらも調査の手がかりにされた。

そこで、戸籍や除籍簿を閲覧し、こうした記載があるかを見たり、あるいは戸籍を遡ってそこに登場する地名が部落とみなされる場所がどうかを情報と突き合わせ、部落出身者を判定した。そして、このような身元調査が可能であったのは、誰でも他人の戸籍を閲覧することができたからだ。[2]

このことは、1922年に全国水平社が結成されると、大きな問題として取り上げられた。法学者である二宮周平は、第二回全国水平社大会（1923）が、戸籍簿の改正要求を決議したことをあげ「日本で初めて社会的に個人のプライバシーの保護を論じた」と評価している。[3]二宮によると、水平社の訴えに応え、帝国議会でも衆議院議員から「因習打破に関する建議書」が提出され、司法省では以下のような対策を講じた。

まず、1924年に、謄本・抄本の作製のときに、「元えた」「新平民」などの文字を謄写してはならないこと、その名称を職権で抹消することができると通達した（1924［大正13］年7月23日民甲9916号民事局長回答）。だが、これらの文字だけが謄写されず、華族・士族・平民という族称はそのまま記載されるため、空白がかえって部落出身であることを示す結果となってしまった。

そこで1938年には、族称欄の文字をすべて謄写しないよう通達された。だが、除籍簿を閲覧すれば、朱線で抹消されている事実が見えた。つまり司法省の対応は、全くの「ザル」であった。

ちなみに1932（昭和7）年、部落大衆からの糾弾を受けた福岡県知事が、司法省に対応を求めたことが報じられた記事がある。県知事は、現在の戸籍のみを改正しても問題は除籍簿（壬申戸籍）にあり、また、賤称を示す文字を市町村の職権で抹消してもよい、と言われても、「賤称を抹消し得るに止まり、右箇所の抹消しあるものは閲覧等の場合一見して賤称ありしものたること判明し其の効甚だ少きを以って之を改製して痕跡を留めざらしむるを要す」（閲覧すれば賤称が抹消されたことは見えるので、効果はほとんどない、ゆえに痕跡を消す必要がある）と訴えている（解放新聞大阪版、第403号1968年4月15日）。

3―戸籍の閲覧制度廃止へ

さらに、壬申戸籍を含め、誰でも閲覧することができた戸籍は、戦後も身元調査に悪用された。1967年になって、抹消の痕跡のある戸籍が閲覧に供されていることが分かり、問題となる。以下は、このことについて、同年10月3日の朝日新聞（大阪）朝刊に掲載された、和歌山県の女性による投書である。

和歌山県田辺市議会で、壬申戸籍の閲覧をさせないようとの要望が出され、市長は「この戸籍は、戦災で焼いたり、破棄した町村もあり、当市も法務局に破棄手続をしている」と答えたそうです。

明治5年に施行され、士族、平民、そして法の上では過去のものになったはずの〝未解放部落〟のことが明示された戸籍――壬申戸籍というものが、今もあって、それを市役所の窓口で閲覧させていることを、私は今まで知りませんでした。このことを、私は朝日新聞和歌山版で読んで、怒りをしずめることができません。

江戸時代、封建制度最大の罪としか思われない、屈辱的な身分制度が、今日も心なき人びとの中に差別の偏見を残しているのです。それら不幸な、へだての中がきを取除くため、どんなに多くの人が訴え、命をかけてたたかったことでしょう。

こともあろうに、役所にこんなものがあろうとは。

戸籍は、理由によって閲覧をことわることがあるといいますが、理由はなんとでもつけられます。それを見にくる人は、あやまった身分制度、しかも法の上で百年も前に過去のものとなったものをもう一度ほじくりかえすために見るのです。その他、なんのために、こんなものをわざわざ見に行く必要がありましょう。

日本中の市町村に、こんな戸籍を残しているところがあったら、法務局の命令で、いっせいに破棄していただきたいと思います。[4]

戸籍が結婚や就職の身元調べに利用されていることが、さらに報道を通じて明らかにされ、部落解放運動による「差別戸籍糾弾闘争」が展開された。

1968　法務省が壬申戸籍の閲覧禁止・回収・保管措置を指示
（昭43・3・29民甲777号民事局長通達）

1974　除籍簿の閲覧請求などが差別事象につながるおそれがあると認められる場合、請求に応じなくてよいという通達
（昭49・2・15民二1126号民事局長回答）

1976　戸籍法一部改正（昭和51法律66号）により閲覧制度廃止

1975〜77　法務省「同和対策除籍等適正化補助事業」（族称を塗抹処理）

1985　住民基本台帳法の一部改正（住民票にも公開制限）

法務省が壬申戸籍を閲覧禁止としたのは1968年、続いて1976年には人権擁護の観点から、戸籍の閲覧制度が廃止された。現在、戸籍謄本・抄本等の交付を請求できるのは、基本的には戸籍に記載されている本人と配偶者、直系親族である。[5]また、弁護士、司法書士、行政書士など8種の専門的職業[6]が職務上必要とする場合に、委任状なしでの請求が認められ、その他もルールがある。こうして、他人の戸籍を自由に誰でもが閲覧し、身元調査を行うことはできなくなった。

コラム　**同和対策除籍等適正化事業**

相続等の際に、古い時代の戸籍を見ると、名前の前に白い空欄があったり、戸主欄の横に空欄があることに気づく。これは、1975〜77年に同和対策事業（法務省事業）として、除籍等適正化補助が行われたことによるもので、ここには族称（平民・士族・華族）が記載されていた。これらを市町村が塗抹処理をするよう、地方法務局を通じて指導が行われ、その事務経費等の一部を補助したものである。

壬申戸籍以来、戸籍には族称欄があった。ただし、明治31年戸籍法では、平民・士族・

華族のいずれも記載することになっていたが、大正3年戸籍法で、華族・士族のみとなり、昭和13年には法務省民事局長が、戸籍用紙に族称欄を印刷せずあらかじめ削除するという通牒を地方裁判所所長あてに発出した。

もっとも、戸籍用紙から族称欄を削除するだけで、族称そのものがなくなったわけではないが、その社会的影響力は大きかったと、法制史研究者である井戸田博史は指摘する。[7] というのも、役所への願届書、履歴書、宿帳などにもそれまでは、族称を書かねばならないときがあり、こうした書式の在り方や、さらには士族・平民の族称廃止をめぐる議論にも影響したからである。

なお、日本国憲法第14条には「華族その他の貴族の制度は、これを認めない」という文言がある。華族令は、日本国憲法が施行される1947年5月3日の前日、5月2日に失効した。つまり華族は、戦後もそれまでの間、特権を有していたことになる。

4 「属地的」判定に依拠する身元調査——部落地名総鑑事件(1975)が示すこと

戸籍を遡った系譜的調査が難しくなると、身元調査は、より属地的判定に依拠することとなった。「ある人」の住所や出生地、本籍地はもちろんのこと、さらには、その人の親や祖父母などの住所や本籍地等を「部落の地名リスト」と照合し、重なれば部落出身者と判定するのである。

そもそも部落差別とは、近世封建社会の被差別身分にルーツを持つ者に対する系譜的差別なのに、なぜ属地的に判定するのか？　それを理解するには、歴史の知識も必要となる。

近世封建社会において、身分的区別が明確化されて統制が進むと、被差別身分に置かれた人びとが、集落（「かわた村」など）を形成した例が相当数存在した。それゆえ、差別は「人」に向けられると同時に、「コミュニティ」に対しても一体的に向けられた。そして、これらの集落は、現代の部落と一定程度重なる。身分（人）とコミュニティ（土地）とが重なり合っていたので、「ある人」が部落出身かどうかを判定するのに、その人と部落の土地との関りを基準にするのである。つまり、部落差別はそもそも身分制度に由来する系譜的差別だが、そこには、属地性もあるのだ。

ただし、属地的に部落出身者を判定るには、「どこが部落なのか」という情報との照合が必要となる。

1975年、「部落地名総鑑」と呼ばれる差別資料が、興信所や探偵社等により販売されていたことが発覚したのは、まさにそのためであった。これは、全国の部落の所在地（地名）等をリスト化したもので、当時、200を超える企業、大学、個人が購入し、従業員の採用で部落出身者を排除したり、子どもの結婚相手の身元を調査したりするために使われたことが分かっている。リストと住所・本籍地などを照合し、その人が部落出身者かどうかを判定するのである。

部落の地名リストの売買が発覚した70年代のこの時期は、まさに壬申戸籍が封印され、戸籍の閲覧制度が廃止された頃と重なる。他人の戸籍を閲覧し、系譜を遡った身元調査が行えなくなったので、部落出身者かどうかの判定は、より属地的基準に依拠するようになったのだ。

5　市民意識調査に見る部落出身者の判定基準——大阪府調査(2010)

差別「する人(側)」が、属地的な手がかりによって、部落出身者かどうかを判定しようとする心理は、大阪府が2010年に実施した「人権問題に関する府民意識調査」の結果にも表れている。「世間ではどのようなことで同和地区出身者と判断していると思うか」を複数回答方式によって聞いたところ、図11のとおり、本人の現住所、本籍地、出生地が同和地区であると答えた者が、それぞれ3~4割、父母あるいは祖父母の住所、本籍地、出生地についても、それぞれ2割以上あった。

図11｜大阪府（2010）——世間ではどのようなことで同和地区出身者を判断していると思うか（複数回答，n=874）

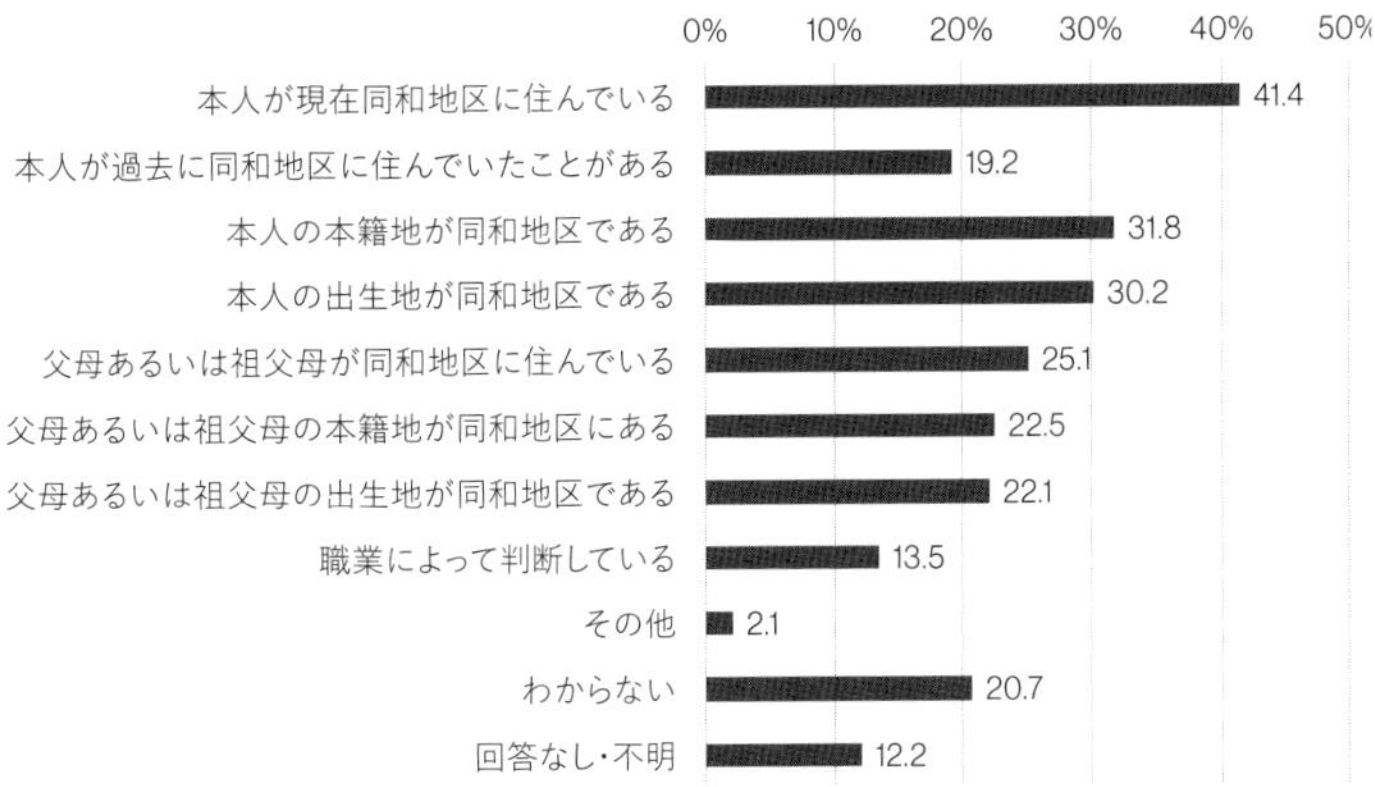

もっとも、父母や祖父母の住所等まで参照するということは、属地的判定ではあっても、系譜的な遡及も行われていることになる。これは、現在ばかりでなく、過去における部落の土地との関りも、判定に含める必要があると考える人が、一定程度いる、ということである。住所や本籍地は移動することができるので、できるだけ古いものを参照しようと考えるのであろう。

このように、人権擁護の視点から戸籍の閲覧制度が廃止されると、今度は部落の所在地（地名）が、部落出身者を判定する基準として利用されるようになった。人権政策が進めば、差別「する人（側）」は、ご都合主義によって差別の手段すら作り替えるのだ。

こうして部落差別は、系譜的差別であると同時に、属地的差別としての性格を強めた。その結果、前章で述べたように「そこに住めば、自分も部落出身者とみなされるかもしれない」との不安から、部落の土地を忌避する意識が強化され、それは不動産市場にも影響を与えている。部落の地名は、このような「機能」を現代社会においても持たされているのである。

コラム　**戸籍等の不正取得**

戸籍の閲覧制度は1970年代に廃止されたが、司法書士や行政書士等による大規模な不正取得は、2000年以降も起きている。先に述べた通り、8種の専門的職業（八士業）には、職務上必要な場合、第三者の戸籍、改正原戸籍、除籍簿、住民票など（以下、戸籍等）の請求権が認められ、各資格職の団体が発行している「職務上請求書」を使えば、本人の同意なくこれらを請求できる。有資格者がこうした立場を悪用し、戸籍等を不正入手し、横流しする事件が繰り返し起きている。

2005年には、神戸市・宝塚市・大阪市の行政書士が、興信所の身元調査にからんで、第三者の戸籍等を取得して、報酬を得ていたことが報道された。このような問題を背景に、2007年には戸籍法が改正され、請求者の本人確認が厳格化され、八士業には請求理由の明示を義務化し、不正取得の罰則も強化された。

だが、2011年には東京都内の「P総合法務事務所」が、全国各地の探偵社の依頼を受け、職務上請求用紙を偽造し（大量に用紙を購入すれば、不正を疑われるため）、3年間で1万件を超える戸籍等を全国の自治体から不正取得していたことが発覚した。

最近では、栃木県の行政書士が、職務上請求書を不正使用し、第三者の戸籍等を不正取得して探偵に渡していたことが発覚し、2021年8月、戸籍法違反の疑いで兵庫県警に逮捕された。全国の探偵社からの依頼を受け、3500回以上の不正取得を行っていたという（警察発表に基づく報道による）。

このような不正請求は繰り返し起きて来たが、自分の情報を「とられた側」は、それに気づくことが難しい。そこで、2009年の大阪狭山市を皮切りに、全国で「本人通知制度」の導入が始まった。この制度は、代理人や第三者から戸籍や住民票などの請求があった場合、交付した自治体から本人に知らせる制度である。事前登録した場合に通知する「事前登録型」と、住民登録や本籍がある者には自動的に通知する「登録不要型」とがある。これもまた、差別を防止するための社会システムに対するアプローチである。

1——部落解放同盟大阪府連合会（1984）『部落差別 写真で見るその現実』

2——二宮周平（2006）『新版 戸籍と人権』（解放出版社）によると、壬申戸籍は行政目的のために作られ、当初は非公開であった。だが、相続・不動産登記の際、相続権を証明する必要性から戸籍の公開が求められるようになった。明治民法と共にできた戸籍法（1898）では、手数料を納めて、閲覧、謄本・抄本などの交付を請求することができると定められた。

3――二宮（同書）・p.79

4――牧英正（１９８５）「壬申戸籍始末」大阪市立大学同和問題研究会『同和問題研究（大阪市立大学同和問題研究室紀要）』(8) pp.18-19

5――本人から委任された人（任意代理人）、法定代理人も同様。

6――八士業には、弁護士、司法書士、行政書士、土地家屋調査士、税理士、弁理士、社会保険労務士、海事代理士が含まれる。

7――井戸田博史（１９９４）「戸籍用紙『族称欄』族称文字の削除」『帝塚山短期大学紀要 人文・社会科学編・自然科学編』(31)

第6章
「全国部落調査」裁判
――インターネットによる部落の所在地情報の拡散に向き合う

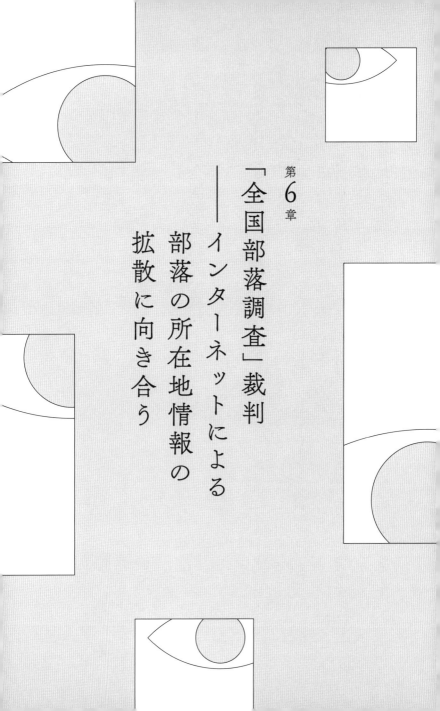

1 ──「全国部落調査」裁判とは

部落差別には系譜性とともに属地性がある。そして現代社会の身元調査が、部落の土地との関り（住所や本籍地、出生地などと重なるかどうか）を強力な手がかりの一つとして行われる以上、部落の土地の所在地情報は、差別「する人（側）」に勝手に利用されるような扱われ方をしてはならないものだ。それは「部落地名総鑑」事件の教訓である。

だが、部落の地名の暴露は、インターネット社会の到来とともに深刻さの度合いを深めてきた。部落差別解消推進法の施行（2016）、法務省人権擁護局による依命通知「インターネット上の同和地区に関する識別情報の摘示事案の立件及び処理について」の発出（2018）も、こうした事態を踏まえてのことである。

とりわけ、重大な事件が2016年の初めに起きた。ネットに拡散されたのは戦前、内務省の外郭団体が行った「全国部落調査」報告書(1936)のデータで、ここには5300を超える部落の所在地と世帯数や人口、主な職業、生活程度などが記され、これは「部落地名総鑑」の基になった資料とも言われている。ここで「重大」と表現したのは、全国の部落の所在地や、調査当時の地域情報が一斉にまとまって拡散され、それがインターネットを通じて行われたからであり、にもかかわらず、被害を食い止めるための法整備が追い付いていなかったからである。一般的なネット規制ばかりでなく、部落の地名や所在地等の情報の拡散に対する法的な対応は(それを規制するのか、規制するならどのような論理によるのか)現在進行形の課題である。

ここではネットにデータを載せた個人をAと記すこととする。さらにAは個人Bと共同で設立した出版社「C舎」から、この報告書に現在の地名も書き加えるなどした「全国部落調査」復刻版を出版・販売しようと企図し、Amazonで予約販売を始めた。

さらに、部落の所在地情報とは別に、個人情報もネットにさらされた。個人Aが管理するドメインの下で、「部落解放同盟関係人物一覧」と称するリスト——部落解放運動に係る者の住所、電話番号、運動団体における役職、SNSのアドレスなどの個人情報——が公開された。

当初、拡散されたデータと拡散の手段を改めて整理すると、以下のとおりである。

「全国部落調査」データ（部落の所在地等情報）

（1）インターネット上で拡散

（2）図書として復刻版出版が計画され、オンラインで予約販売が行われた。

「部落解放同盟関係人物一覧」（個人情報）

・インターネットで拡散

これらを放置すれば、深刻な差別を引き起こすことは明白である。そこで部落解放同盟は出版禁止とデータの削除を求める仮処分申請をまず行い[1]、その後、2016年4月19日に、部落解放同盟と個人原告らが、A・B・C舎を相手どり、東京地裁に本訴を提起した。裁判では、出版禁止、データの削除と今後の利用禁止、そして原告の「プライバシー権」「名誉権」「差別されない権利」、および運動団体の「業務遂行権」が侵害されたことに対する損害賠償を求めた。なお、一審の原告は249名（部落解放同盟と個人原告248人）にのぼる（ただし提訴は数次にわたる）。

2 「全国部落調査」裁判の争点から見えるもの

私はこの裁判で、東京地方裁判所に意見書を提出した。これまで社会調査を通じて、市民の人権意識の把握・分析を行ってきた立場から、部落の「土地」に対する忌避意識やその要因を示し、部落の所在地情報の拡散が深刻な差別につながることを、ともかくもこれまでの調査データから示さなければならないと考えたからだった。[2]

その際、とりわけ気にかけていたことが3つある。

一つは、一審被告側が「地名は特定の個人の人格と結びつくものではない」と主張し、部落の「地名」だけを取り出して拡散しても、人の権利侵害にはあたらないかのように主張していたことである。[3]これは、部落の所在地リストとは単なる地名の羅列であって、地図帳の索引と同種のものだと主張しているに等しい。特定の誰かを部落出身者だと名指せば、それは明らかな人権侵害だが、地名を並べるだけではそうはならない、というのだ。

本書でこれまで説明してきた通り、部落の地名リストは部落出身者の判定に使われるから、これは誤りである。だが、こうした知識がない者は、「これは単なる地名のリストだ」と言われれば、「そんなものか」と受け入れてしまうかもしれない。そうであるなら、裁判所にも、そして市民社会に対しても、部落の地名の拡散がなぜ人権侵害につながるのかを丁寧に伝える必要があると考えた。

二つめは、この裁判は、あくまで差別「する人（側）」の責任を問う裁判だという点である。

一審被告側は、「被差別部落出身者」という法律上の身分はなく、社会的・学術的にも定義が定まっていないから、原告には当事者適格がないとか、部落出身者や部落差別という概念は、運動団体が勝手に作り出しているものだという主旨の主張をしていた。しかしこの裁判は、部落出身とは何かの定義を争うものではなく、「部落の地名の拡散が、差別につながる（人権侵害を引き起こす）」ことを問題にしているのだ。つまり、裁判で問うているのは、地名を拡散し、差別を助長・誘発・扇動「する側」の責任であるから、差別を「受ける側」に責任を転嫁するようなことは認められない。だから、意見書においても、差別は「する人（側）」の問題だということを、改めて強調する必要があると考えた。

3 部落の所在地情報の拡散がデジタル・ネイティブ世代に与える影響——大学生のレポートから

三つめに留意したのは、ネットに拡散された情報が、とりわけ若い年代に強い影響を与えることを裁判所に伝えることだった。大学でも、授業で取り上げたことに関心を持つと、デジタル・ネイティブ世代の学生はネット検索を行い、たちどころに情報を収集してしまう。部落問題を授業で取り上げれば、ネットに拡散された部落の地名リストが学生たちの目に触れ、影響を与えないはずはなかった。

実際、「全国部落調査」データの拡散が問題化した2016年の春、新学期を前に大学教員仲間と話していたところ、こんな話が飛び出した。

「部落問題の授業でレポートを課すと、ネット上の『部落の地名リスト』に友だちの住所をあてはめて、部落かどうかを調べてみた、というレポートが出てくるようになった」

これには驚いた。まさに身元調査ではないか。

そこで、この友人が当時教鞭をとっていた大学の学生（学部の1・2年生）が2015・2016年に提出したレポートを、許可を得て閲覧させてもらうことにした。

この授業のレポート課題は「身近な人から部落問題についての考えを聞き、返ってきた答えをふまえ、それについて自分がどう考えたのかをまとめなさい」というものである。例年、同じ課題を出してきたとのことで、「身近な人に聞く」ことを課題にするのは、普段、部落問題に出会う機会があまりない学生たちに、部落差別が身近にあることに気づかせ、考えさせるためだという。というのも、学生たちにとって、部落問題について話せる「身近な人」というと、父母や祖父母であることが多く、自分より上の世代からかつての部落差別の話を聞くことになるからである（場合によっては、家族の差別意識に触れることもある）。そこから、部落問題が身近な課題であると気づき、自分はどう向き合っていくのかを考えてほしい、というのがレポートの主旨であった。

実際、差別に向き合おうとする学生たちの、思考の軌跡が綴られたレポートも多数提出されているのだが、一方で、ネットで部落がどこにあるかを調べたというものも、参照した480通のうち5％ほどあった。そしてこれらは、ネットに拡散された「全国部落調査」やそのミラーサイト、類似のサイトを参照していた。

これらのレポートには共通点がある。たいてい、家族から部落差別の話を聞いた後、「自分は差別にどう向き合うのか」と考えるより先に、まず「そのような差別を受ける地域がどこにあるのか」を調べていることだ。部落の所在地情報はすぐにネットで見つかるので（当時）、「部落差別を受ける地域・人がある／いる」という情報と、その所在地が結びつき、「部落差別を受ける地域・人が、〇〇にある／いる」という、差別に直結しかねない「知見」が形成される。そしてそれが、レポートに記されていた。いくつか例を示しておく（地名はアルファベットで表記する）。

「インターネットでA市の部落に関する検索をかけてみた。……その中にA市の部落の名前も書かれており、母の話だけでは半信半疑であったがいきなり部落の存在が現実味を持った」

「B県には、……あるウエブサイトによると、約80の地区が現存しているとのこと。……私の家の近所にある町もその同和地区の一覧に掲載されていた。……この事実は私を驚愕させた」

「今回は、今の自分が住んでいる市の同和地区の歴史について調べた……市内では、現在のC区・D区・E区・F区・G区・H区・I区・J区・K区・L区・M区・の一部地域が同和地区であると「全国部落調査」において記されている。父が子どもの頃、父の住んでいた町の近くにも同和地区は存在していた。その地区にあった家屋は……粗末なものであり、トイレ・水道はその住宅地で共用のものしかなく、衛生面においても圧倒的に格差があったそうだ。当時の父を始めとした子どもたちの間では、『行ったり、近づいてはいけない場所』という認識であった」

「(母から)『近所の地域がそういう地域らしいで』と聞き……調べてみると、自宅から1kmもないところであったのでそこを訪れてみた。……インターネットで検索をかけて地図で部落とされる場所には現在、Nセンターなる公共施設があった」

学生たちは、とくに身近な地域に関心を向けており、近くに部落があるとわかると、そこに友人の居住地を重ねているものもある。

「小・中学生のころは、部落のことなど全く知らなくて、L町が同和地区だと知ったときは本当におどろいた。……小・中学生の習い事の友達にL町1丁目に住んでいる子がいたので……この地区について調べ、考えることにした」

ネット上での部落の所在地調べや身元調査は、個人がこっそり行えば外部に知れることなく終わってしまうが、大学の授業でこのようなレポートが課されたことにより、その一端が顕在化した。なぜなら学生たちがそのような行為の問題性（差別性）に気づかぬまま、無自覚にネット検索を行い、レポートで報告してきたからである。それは学生たちが、「部落の所在を特定しようとする行為は、差別・排除につながる不適切な行為」だという自覚も、その土台になる知識も――部落の地名が部落出身者の判定に利用されることや、かつて「部落地名総鑑」が問題となったことも――持ち合わせていないからである。

このような若者の無自覚は、この世代の若者が受けてきた教育によるところが大きい。というのも、2015・2016年に学部の1・2年生としてレポートを書いた学生たちは、もし全員が現役入学生だと仮定すれば、2015年の1年生は1996年生まれ（早生まれは97年）、小学校入学は2003年、中学校入学は2009年である。ちょうど2002年3月に、国が特別対策として33年間にわたって実施してきた同和対策事業が終了し、それ以降、学校教育や人権啓発事業で部落問題が取り上げられる機会は激減したから、その時期に義務教育を受けた世代は、それ以前の世代のようには部落問題について学習していない。知識不足と無自覚が、差別を拡散するのである。

4 — 若者が「出会わない」部落・抽象化するイメージ

学生が受けて来た教育についてはもう少し説明しておきたい。

先の大学のレポートの中には、ネット検索で地名が出て来たとたん、部落の存在が「現実味を持った」と書いていた学生がいた。それは、これまで抽象的イメージしかなかった部落が、おもむろに地名が明らかになることにより、リアルな存在として意識されたからである。ただし、学生たちの言う「現実味」とは、具体的な部落の地名が分かったとか、身近に部落が存在することがわかったということでしかない。

差別解消を求めて、教育現場で長年行われてきた「同和教育」においては、「差別の現実に深く学ぶ」ことが合言葉とされ、教師は「部落の生活の現実に向き合い、親と子の願いに耳を傾ける」ことを大切にしてきた。学校で部落問題学習を行うときも、校区に部落がある学校では、地元の人びとの差別解消への思いを聞く機会を持ったり、地元の部落の歴史・文化などを取り上げた独自教材を作成するなどした。

ただし、同和対策事業を裏付けて来た、一連の特別措置法が2002年に終了すると、このような具体的実践は、すべてではないものの、急減したことも事実である。これは「特別措置法が失効し、同和対策事業の対象地域を指定する法じたいがなくなったので、かつての法の対象地域や対象地域の出身者が、どこにあるか、どこにいるかを明らかにすることは、アウティング（本人から了解を得ずにこれらを暴露すること）になる」という考えによる。

また、法の終了とともに、「部落問題はもう取り上げなくてもよい」と考え、人権学習のテーマを部落問題学習から、その他の諸課題へとシフトするケースもあった（根拠法の有無にかかわらず他の人権諸課題は学習しているのに、なぜ部落問題だけ「法がないから」となるのか不思議である）。「解放令」や「全国水平社」が教科書に出てきたときに、歴史だけを教えている学校も少なくない。

それゆえ現在の若者は、部落問題を知ってはいても、具体的な人や地域に出会う経験がなく、部落は抽象的イメージでしかない。そしてこのような抽象的イメージは、外部からの情報によって、いかようにも変容しやすい。ネット上には「部落の地名」と共に、差別的な情報があふれているから、これらが結び付いて意識の空白に入り込むのである。

もっとも、だからといって、現在問題になっているような、部落の写真や生活現場の動画を撮り、ネットにさらす行為が「リアリティをもって部落問題を理解させる」ものだとは、断じていえない。一方的なアウティングは暴力であり、そこには人への共感やつながりの感覚は存在しない。現代社会において、部落差別をどう教え、学ぶのか、教育に携わる者が、今真剣に向き合わねばならない問いである。

なお、第4章で見た通り、学校教育においては、最近、変化の兆しもある。内閣府が行った「人権擁護に関する世論調査」(2022)では、「学校の授業で教わった」ことにより、部落問題を初めて知ったという者が、10・20歳代では約5割となり、それ以前と比べて顕著に増加していた。部落差別解消推進法の施行(2016)後、部落問題を取り上げる機会が増えたことも一因であると考えられるが、ぜひその学習が、現代社会に起きている問題の理解に結び付く形で展開されることを期待したい。

5　アウティングという暴力

ところで、学生レポートの中に、次のように書かれたものがあった。

具体的な被差別部落の地名、それがあまりにもなじみのある地名だったことに衝撃を受け……自分の住む地域をインターネットで検索してみると「部落」という文字が現れ、とっさに「まさか、そんなはずはない」と考えてしまった。……「なぜこんなところで生まれてしまったのだろう。私の将来はどうなるのだろう」……初めて自分が部落出身者だと知った人はこのように不安と絶望に近い何かを感じるのだろうか

ネットによって、自分や自分の大切な人が住むところが、部落だと名指され曝されていると知ったショック、不安を綴ったもので、一方的な、ネットの上での部落のアウティングが、どれほど暴力的なことかと言葉を失った（この授業を担当した先生から、その後については聞いた）。部落にルーツがあっても、そのことを知らない若い世代は、少なくない。かつては、例えば地域の子ども会活動など、子どもたちが部落問題を学び、部落出身者とし

ての社会的立場の自覚を持ち、集団として成長していく場があった。だが、こうした取り組みは同和対策事業の終了によって学校・教員の関りが急速に後退したり、地域における少子化の進行などによって縮小したり、継続が困難となった。そのため、現在では、親が子どもに伝えなければ、子ども自身は自分が部落にルーツがあることを知らない……という場合が少なくない。また、親世代も教育・就労などの機会に部落を転出してきたから、ルーツがあっても、部落外で生まれ育つ子どもたちもすくなくない。

他者から、自分や家族の暮らすまちが部落だと名指されるのは、一方的なアウティングであり暴力であることは言うまでもないが、自分のルーツを知らない若者が少なくない現在、ネットのアウティングの暴力性は、さらに大きなものではないか。自分はマジョリティである、と思い続けてきた自己認識が——心の準備も知識も、そしてそのことを共に考え受け止めてくれる人間関係もない中で——突然奪われ、覆されるからである。

6 ソーシャルメディアと「参加型」の差別

インターネットの技術的なことは私の専門外ではあるが、ここで一言触れておきたいのは、ソーシャルメディアを介した情報拡散の加害性である。

ネットが差別言説や不適切な情報を、即時的かつ広範囲に発信し被害を拡大することは言うまでもないが、さらにソーシャルメディアが使われることによって、誰もが情報を編集したり、拡散に積極的に「加担」できるようになり、差別が多数者の関与と共同性を伴うようになった。

例えば、「全国部落調査」データは、画像として拡散されただけでなく、テキスト化され、内容の編集・削除が自由で、誰もが情報を書き加えることができるWikiというシステムを使って公開された。Wikipedia（ウィキペディア）というオンライン百科事典はよく知られているが、参加型で知識を集積することができるシステムは、事典の内容を充実させるのには向いている。だが、これを使って部落の地名リストを公開したら何が起こるだろうか。Wikiを使って公開された「全国部落調査」データの場合、そこに誰もが、さらに情報を精緻化する書き込み——例えば、現在の地域の呼称や目印など——ができる環境ができあがってしまった。しかも、編集はTor（接続経路を匿名化するソフト）を介して呼びかけられたので、IPアドレスが特定できない匿名の書き込みが可能だった。ソーシャルメディアは「加害者参加型」プラットフォームとなったのである。また、書き込みをしないまでも、こうしたサイトを見るだけで——もし、興味本位で繰り返しアクセスすれば——アルゴリズムがその人の検索やクリックの履歴から、「この人は、こんな情報を求めている人だ」と判定し、似たような情報にばかり誘導されるかもしれない。そうなれば、差別的な関心が強化されてしまうだろう。

このように、ネット上の差別は、第三者を巻き込み加害性を増す。書き込みを行った者の責任のみならず、サイトを管理する者の責任、それを拡散した者の責任など（近年は、名誉棄損や侮辱となる投稿をした者だけでなく、再投稿・拡散した者にも損害賠償の支払いが命じられる判決が出ている）、そこに介在する者の責任も、徐々に問われるようになってきたが、法の整備は途上である。さらに最近では生成ＡＩが登場し、差別を再生産する危険性も指摘されている。こちらの問いに、インターネット上の情報を集めて学習したことを元に回答するので、そこには社会にある差別が色濃く反映されるからだ。現代の差別は、社会システムだけでなく、インターネットというシステムにも組み込まれているのだ。

7 判決――東京地方裁判所（２０２1年9月27日）・東京高等裁判所（２０２3年6月28日）

「全国部落調査」裁判は、２０１6年4月の提訴から5年半を経て第一審判決が（東京地方裁判所、２０２1年9月27日）、7年を経て第二審判決（東京高等裁判所、２０２3年6月28日）がそれぞれ申し渡された。判決を得るまでには長い時間を要することを改めて実感した。その間、他界された方もおられるなどし、判決の時点で個人原告は２３４名であった。

部落の所在地情報の拡散を法がどのような論理によって裁くのか、注目された判決であった。結論から先に言えば、両判決とも、「全国部落調査」復刻版およびインターネット上での部落の所在地情報（第一審では「本件地域一覧」、第二審では「本件地域情報」という）の公表は、部落差別を助長する違法な行為であるとして、公開禁止、二次利用の禁止を認め（「部落解放同盟関係人物一覧」はすでにネットから削除されていた）、原告の大部分について損害賠償を認めた。

ただし、第一審は、プライバシー侵害によって被害を認定したが、第二審では実質的に「差別されない権利」を基に救済を認めた。そして、部落の所在地情報の差し止め範囲は、第一審では25都府県であったが、第二審では31都府県に拡大され、また、損害賠償の総額は約489万円から約550万円へと増額された。

8　社会学からみた第一審判決

①「プライバシー侵害」の限界

いずれの判決においても、部落の所在地情報の公表は、違法であるとの原則は変わらない。第一審判決では、部落がどこにあるかを知ろうとすることは、社会における「正しい関心事」ではなく、データの公開は「公益目的」ではないと断じた。ただし、その上で第一審判決は、部落の所在地情報の公開が、原告のプライバシー権を侵害するとして、公開を差し止めた。

判決の論理はこうだ。部落出身者と判定されれば、差別や誹謗中傷を受けるかもしれない。ゆえに、一審被告らが公表した部落の所在地情報（地名リスト）上にある地名と、自分の住所・本籍地が重なることは、「人に知られたくないプライバシー」である。つまり、部落の所在地情報の公開は、原告のプライバシー侵害にあたる、というのである。

部落の所在地情報が身元調査の手がかりにされ、一審原告の人格権を侵害するという点は認められ、部落の地名リストが単なる記号の寄せ集めであり、地図帳の索引と同質のものだというような論理は否定されたことになる。この点は重要である。そして地裁は、プライバシー侵害が認定された原告のいる都府県の「全国部落調査」データの公表・二次利用を禁止した。

ただし、地裁がプライバシー侵害を認めたのは、ある「基準」を満たした原告だけに限られた。それは、現住所か現本籍地が部落にある（すなわち、「全国部落調査」にその地名が記されている）ことであった。地裁はその根拠を「個人が社会生活を営む上で住所を開示することは不可避であり、また結婚や就職等の場面において本籍を開示しないことも困難」だから、と述べている。確かに、住所は日常生活で記入を求められるし多くの人目にふれる。また、日本国籍者と結婚すれば、婚姻届上で相手の本籍地を見るし、就職でも戸籍の提出を求められることが未だにある。つまり裁判所は、一般人が他人の個人情報を知り得る場面として、この程度を想定したのだと考えられる。

しかし、地裁によるこの「基準」によって、例え部落で生まれ育っても、親や祖父母の住所や本籍が部落にあったとしても、原告の現在の住所・本籍地が部落外なら「全国部落調査」データの公表によるプライバシー侵害はない、とされてしまった。

そして地裁は、プライバシー侵害が認定された原告のいる都府県のデータ公表を差し止めたので、結果として25都府県分のデータだけが対象になってしまった。

② 不十分にしか認定されなかった部落差別の「属地性」

地裁判決は、社会学の視点から部落差別の変容を追い続けて来た私にとっては、社会学がとらえてきた部落差別の実態と被害を、法による救済に置き換えることの難しさを痛感した判決であった。
第一に、「全国部落調査」の公表によるプライバシー侵害が認定されたのは、現住所・現本籍地が「全国部落調査」の地名リスト上にある原告だけに限定されたので、その結果、たった一人しか原告がいなかった県で、その原告の現住所・現本籍地が、この地名リスト上にないと（住所や本籍地を変更した場合など）、その県のデータすべてが差し止めの対象外になった。このような県が6県あった。また、そもそも裁判の原告がいない10県のデータは、判決の対象外である。[4]
だが、社会学から見れば、部落差別には属地性がある。部落出身者かどうかの判定は、地名を手がかりに行われるから、部落の地名リストが公表されれば、その被害は個人的なものだけではなく、地域全体に及ぶ。ある県の、部落の地名リストが削除されずに公表され続ければ、被害はその土地に関わりのあるすべての人に及ぶことは自明である。

もちろん、地裁判決は原則として、部落の地名リストが原告のプライバシーを侵害すると認めているので、差し止めの対象から漏れてしまった県においても、新たに「現住所・現本籍地が部落の地名リストと重なる」原告をたてて裁判を起こせば、その県のリスト公表を差し止める判決は得られることにはなるだろうが、それでは部落差別の本質を踏まえた解決とは言えない。部落差別には属地性があるのだから、差別の被害は、公表された部落の地名リストに関わるすべての人に及び得る。それならば、原告に関わる地名だけでなく、すべてのリストが削除されねばならないはずだ。

③認められなかった部落差別の「系譜性」

地裁判決がプライバシー侵害を認定する際に採用した「現住所・現本籍地」主義の第二の問題は、部落差別の系譜性を認めなかったことである。系譜的な意味で部落にルーツがある原告――例えば親・祖父母などが部落出身であり、親・祖父母等の住所・本籍地が部落にあることを戸籍や除籍簿等で示すことができた原告――であっても、原告本人の現住所・現本籍地が部落外にあれば、地名リストの公表によるプライバシー侵害が認められなかった。

つまり、部落に系譜的つながりがある者が、いったん部落を離れ、住所・本籍地を変えると、プライバシー侵害が認められなくなってしまった。部落差別は、そもそも系譜的（＝世系に基づく）差別であるから、なんとも矛盾である。

しかし、身元調査においては本人ばかりでなく、系譜を遡って祖先の出身を突き止めようと、戸籍などの不正取得が行われる。人の移動が活発になり、目の前の人が、どこの出身でどのような背景を持つのかがわからないからこそ、それを知ろうと相手の過去や、ルーツも知ろうとするのだ。また、前述の大阪府の「人権問題に関する府民意識調査」（2010）に見る通り（118頁参照）、部落出身者かどうかの判定は、属地ばかりでなく、系譜的基準と組み合わせて行われている。それに身元調査を行うまでもなく、結婚にあたっては、相手の親がどこに住んでいるかと聞くのは、ごく普通のことではないだろうか。

地裁判決では、この点が考慮されていなかった。

④地裁判決の「現住所・現本籍地主義」は特定の原告にとって不利となる

さらに、地裁判決の「現住所・現本籍地主義」は、特定の原告に不利に働くという点も述べておきたい。進学や就職などのライフイベントを契機に、引っ越しをする人は少なくないが、移動先に生活の本拠が移れば、住民票を移すのは普通のことであるし（そうしなければ、納税や選挙権の行使にも影響が出る）、結婚を契機に本籍地を移すケースも少なくない。実際、「戸籍に関する国民の意識調査」（2016）を見ると、結婚・離婚やマイホームの購入・転居などのライフイベントを契機に、能動的に本籍地を住所地に移動している者は、回答者の34％を占めていた。このことは、出身地（地元）を離れた者が集中する、都市部ではより顕著になると考えられるから、今回のような判決は、首都圏など都市部の原告には、不利に働くことになる。

また、同調査では、本籍地を能動的に移動し、住所地に合わせた理由として、「結婚または離婚」をあげた割合は、女性に高い割合となった。住所や本籍地を変えることは、女性のほうが多いとすれば、判決の考え方は、理論的には女性に対して不利に働く可能性がある。[5]

⑤部落出身をカミングアウトしている者には認められなかったプライバシー侵害

プライバシー侵害は、「部落の地名リスト」に現住所・現本籍地が重なる場合に加えて、「部落解放同盟関係人物一覧」に個人情報が公開されたことによっても認定された。だが、部落出身であることや部落解放運動に取り組んでいることなどが広く知られ、そのことを自ら容認している場合には、プライバシー侵害が認められなかった。例えば、部落出身をカミングアウトし、差別をなくすことを訴える講演活動などを繰り返し行ってきた人である。自ら情報を明らかにしているから、プライバシー侵害にはならない、ということになる。

だが、カミングアウトという行為自体も、差別を受けるリスクを伴う。そのリスクを引き受け出身を明らかにし、社会の差別性を問おうとする行為こそ、カミングアウトなのである。そのようなカミングアウトの社会的意味を認めず、差別をなくそうと行動したことでアウティングの被害が認められないのは矛盾である。

このことは、地裁判決がプライバシー権をきわめて小さく解釈し、あたかも部落出身（本籍や住所が部落の地名リストと重なること）は「人に知られたくない」ことであるかのように意味づけたことによる。だが、プライバシー権とは、単に「人に知られたくないことを知られずにおく」ことだけではなく、「自己情報を（主体的に）コントロールする権利」も含む概念である。

なお、このことは地裁判決が部落差別の系譜性を認定しなかったこととも、共通する問題を感じる。判決では、部落に系譜的な意味でルーツがあっても、現住所・現本籍地が部落にない原告には、プライバシー侵害が認められなかった。このことは、当事者にとってみると、自分は部落に系譜的ルーツがあると「わかって」いるのに、裁判所からは「あなたは、社会からは部落出身者だと判定されない」と言われているようなジレンマを生む。そのため、原告当事者や支援者からも「裁判所は部落差別をわかっていない」との声があがった。確かに、裁判は差別「する側」の行為がもたらす被害を認定し、救済しようとしているのであって、誰が部落出身者かという判定は、裁判所が行うことではない。しかし、他者がどう判定しようと、原告という主体があってこそ裁判が提起されたのであり、その主体は、部落差別という現実の中を生きた経験から立ち上がったものだ。原告は差別の被害を認定してもらう「弱い」客体ではなく、差別に抗する主体なのだ。差別は、他者の眼差しと判定の問題だが、原告の主体まで他者の判定にゆだねるわけにはいかない。

9 ― 第二審判決による進展

①「差別されない権利」

第二審の東京高裁判決は、第一審の差し止めと損害賠償を認める判断を維持した。その上で、大きな前進があった。それは部落の所在地情報の公表が実質的に「差別されない権利」の侵害になることを認めた点である。

地裁判決は、「差別されない権利」の「内実は不明確」で、どんな権利が侵害されるのか判然としない、と述べていたが、これに対して高裁判決は、憲法13条（個人の尊重と幸福追求権）、憲法14条1項（法の下の平等）をあげた上で、次のように述べている。

人はだれしも、不当な差別を受けることなく、人間としての尊厳を保ちつつ平穏な生活を送ることができる人格的な利益を有するのであって、これは法的に保護された利益というべきである。

また、部落差別が未だ解消されていないこと、差別が差別を受けた者のその後の人生に大きな影響を与えること、さらにインターネット上での部落差別事案が増加していることをふまえ、以下のように述べた。

部落出身等であること及びそれを推知させる情報が公表され、一般に広く流通することは、一定の者にとっては、実際に不当な扱いを受けるに至らなくても、これに対する不安感を抱き、ときにそのおそれに怯えるなどして日常生活を送ることを余儀なくされ、これにより平穏な生活を侵害されることになるのであって、これを受忍すべき理由はない以上、本件地域（筆者注：「全国部落調査」に掲載された地域を指す）の出身等であること及びこれを推知させる情報の公表も、上記の人格的利益を侵害するものである。

すなわち、部落の所在地情報の公表は、差別を受けることなく、人間の尊厳を保ち生きるという「人格的な利益」の侵害なのである。

そして判決は、このことによって「本件地域の出身等を理由に不当な扱い（差別）を受けるおそれがある者は、上記の人格的利益に基づき、本件地域情報の公表の禁止や削除、損害賠償といった法的救済を求めることができる」とした。

②認められた部落差別の系譜性

地裁判決においては、現住所・現本籍地が、「全国部落調査」上の地名と重なる者だけにプライバシー侵害を認めていた。しかし高裁判決では、過去に住所・本籍地を置いていた場合、さらに親族の住所・本籍がある場合や過去にあった場合も、救済の対象とした（ただし、親族の範囲は広いから、何が該当するかは、「諸事情に照らし個別的に判断するのが相当」とした）[6]。出生地も加えられた。

これは、部落差別の系譜性を認めた、ということである。高裁判決では、部落差別が部落での居住ばかりでなく、「その地域に系譜を有すること等によっても生じ得る」とし、２０２１年8月に発覚した栃木県の行政書士による戸籍等の不正取得についても触れている。

その結果、部落の所在地情報の差し止め範囲は、第一審の25都府県から、第二審では31都府県に拡大された[7]。ここに原告のいない県も新たに加わったのは、さきの「親族」の論理による[8]。

なお、損害賠償については、2種類のデータ（「全国部落調査」と、「部落解放同盟関係人物一覧」）の公表をもとに算定されたが、自ら部落出身者であることを広く公表していると認定された者には、プライバシー侵害が認められなかったことは、一審判決と同様である。

10　改めて法で「差別」に向き合うとは

先に述べたとおり、一審被告側は、「被差別部落出身者」という法律上の身分はなく、社会的・学術的定義も定まっておらず、部落出身者という概念は、運動団体が勝手に作り出しているという主旨の主張をしていた。だがもちろん、いずれの判決も、原告らが部落出身者かどうかという判断は行ってはいない。部落所在地情報の公表により、原告らが他者から部落出身者だと判定され、権利侵害を受けることを問題にしているのである。

ちなみに、東京地裁に意見書を提出した（法学者の）木村草太は、「差別は類型に向けられた『評価』であり、『事実認識』とは異なる」と記しているが、まさに差別とは「する人（側）」が勝手にカテゴライズした対象に向けた、勝手な評価なのであって、差別を「受ける側」の本質がどうか、などという問題ではない、と述べていた。また東京高裁判決も、「不当な扱い（差別）又はそのおそれ」は、「必ずしも、部落出身であるという客観的事実に基づくものではなく、むしろ偏見や差別意識といった人々の心理、主観に起因する」と述べている。

すでに繰り返し述べたとおり、差別とは「する人（側）」の問題であり、裁判も、部落出身者であるという属性・特性を理由に差別する「する人（側）」の責任を問うている。だから、差別を訴えた当事者に「部落出身者かどうか証明せよ」と迫り、あたかも「部落出身者」という概念を原告当事者の側が勝手に作ったかのように話をすり替えることは、差別を問う法的考え方に全く反する。

裁判の過程では、こんなこともあった。

一審原告らは、自らの被害を裁判所に訴えるにあたり、住所・本籍地等が「全国部落調査」上の地名リストの中にあることを公証という手段を使って証明し、裁判所に提出した。これは、住民票や戸籍謄本をそのまま証拠として提出すれば、一審被告らによってインターネットに公開されるおそれがあったからである。一審原告らの住所等が「全国部落調査」と一致するかどうかは、公証人が一つひとつ確認した。これに対して一審被告は「公証人が、部落出身者を認定」し違法であると主張したのである。高裁判決ではこの点にも触れ、公証人が確認したのは、一審原告らの住所等と「全国部落調査」が一致するか否かであって、部落出身者であることの認定ではない、ということを明確に述べている。

1――出版禁止は2016年3月28日、ウエブサイト掲載禁止は同年4月18日に決定された。ただし、異議を申し立てにより、いずれも最高裁の許可抗告棄却が最終決定となった。

2――意見書は2018年5月に提出した。これに解説を付したものを「『全国部落調査』復刻版出版差し止め裁判に対する意見書」（阿久澤 2019）として公開しているので参照されたい。参考文献欄を参照。

3――出版差し止めの仮処分に対する保全異議申立事件、第二回保全異議審尋［横浜地裁、2016年10月12日］

4――第一審判決によって差し止めを認められた25都府県は、栃木県、群馬県、埼玉県、東京都、神奈川県、新潟県、長野県、滋賀県、京都府、大阪府、奈良県、和歌山県、兵庫県、鳥取県、島根県、岡山県、広島県、愛媛県、香川県、高知県、福岡県、熊本県、大分県、宮崎県、鹿児島県である。認められなかった6県は、千葉県、富山県、三重県、山口県、佐賀県、長崎県。また、この裁判の原告がいない10県は、愛知県、徳島県、岐阜県、山梨県、茨城県、静岡県、福島県、秋田県、福井県、石川県である。

5――「戸籍に関する国民の意識調査」（２０１６）によると、調査時点で本籍地と住所が「同じ」と回答したのは、約47%（４３４１人）、「ちがう」は約53%（４８７５人）おり、「同じ」を選択した者だけに、きっかけを択一式で聞くと、「もともと同じ」だった者も約25%あるが、「自宅（持家）を購入したから」が約32%、これに「結婚をしたとき又は離婚をしたときに住所と同じにしたから」「現在の住所に転居したから」を加え、ライフイベントに応じて本籍を能動的に移動したという回答が約65%を占めた（これは回答者全体からみれば約31%にあたる）。https://www.moj.go.jp/content/001222094.pdf

6――身元調査によって戸籍を遡って不正取得されれば（さらに戦前戸籍も参照されれば）、そこには多数の親族の従前の本籍地や、新たな本籍地などの記載があるから、「誰の」ものまで含めるかということは一律に言いにくい。そのため「諸事情に照らし個別的に判断」することになったのであろう。

7――差し止めの対象に追加されたのは三重県、山口県、徳島県、佐賀県、長崎県、茨城県の6県である。なお、東京地裁、東京高裁とも、裁判所は差し止めを都府県単位で行っている。その理由を高裁判決では「削除や公表の禁止の対象とする部分の前後の記載から当該部分の内容が推知されると当該目的を達することはできず、その推知は他の情報と相まって必ずしも困難を伴うものとはいえない」と述べている。原告の住所・本籍地と公表された地名リストを厳密に照らし合わせて、地域単位や市町村単位で差し止めても、前後の情報や他の情報などから、そこがどこを指すのか、わかってしまうだろう、ということを言っている。この点は、筆者の推測であるが、例えば、特定の自治体による同和対策事業の実施内容には一定の共通性があるだろうから、削除されなかった地域のデータを元に、他の地域を推測するとか、といったことが考えられよう。

8――筆者は訴訟当事者ではないので、個人原告の方々が、それぞれどのように被害を認定されたのかは判決の別紙を見ることがないのでわからない。だが聞いたところでは、一例として、一審原告の配偶者の本籍のある県が、公表禁止の対象に加わったという。原告適格を示すため（公証のため）一審原告の方が現在の戸籍を提出していれば、現行戸籍（戦後の戸籍）は夫婦とその子が単位となり、非常にシンプルなつくりではあるが、そこには筆頭者も配偶者もどこから来たか（従前の本籍地）が記される。つまり、原告の戸籍からは配偶者の以前の本籍地もわかるので、それが「部落の地名リスト」と重なれば、当該の県のリストも公表差し止めの対象になったと考えられる。

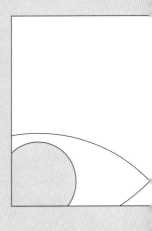

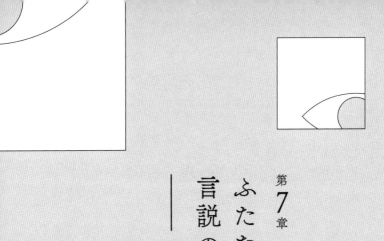

第7章

ふたたび、言説の変容を考える
――「現代的レイシズム」とインターネット

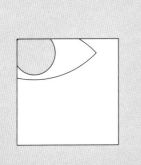

1　「現代的レイシズム」としての「特権言説」

さて、ふたたび本書の問題意識を確認しておきたい。海外の「新しいレイシズム」研究では、反差別施策の進展により、露骨に偏見を表現することが社会に受容されなくなると、差別は一見、見えにくくなるが、社会システムに組み込まれたり、言説を変えたりして、存続し続けることが指摘されてきた。本章では、後者（言説の変容）について取り上げる。

なお、この点に関してはすでに第3章で述べたとおり、部落に対する否定的感情は、1980年代には同和対策事業を「逆差別」だと批判することによって表明されるようになったが、2000年以降には、「部落出身者は差別を利用し、努力せず、不当に特権を得ている」というような「特権言説」がこれに代わるようになった。

もっとも、「特権言説」がバッシングの矛先を向けるのは、部落出身者だけではない。例えば2017年6月、車椅子ユーザーが奄美空港で飛行機に搭乗するため、同行者に車椅子を担いでもらおうとしたところ、航空会社に危険を理由に制止され、車いすを降りて階段式タラップをよじ登らねばならなくなったことが報道された。これに対して、当事者を「クレーマー」「プロ障害者」などと中傷する投稿でネットが炎上した。中には「航空会社からお金をもらった」「告発するために、わざと騒ぎを起こした」といった投稿もあったという。[1]

また、同じ年の12月、米軍のヘリコプターから、7キロを超える部品が沖縄県宜野湾市の小学校のグラウンドに落下したことが報道されると、「やらせだろ」「基地のそばに造ったのはあんたたち」という電話が、小学校と教育委員会に相次ぎかかったという。[2] この2例は、2016年に差別解消のための法――障害者差別解消法とヘイトスピーチ解消法――が施行された翌年の出来事である（ただしヘイトスピーチ解消法は、外国にルーツのある人びとに対する不当な差別的言動を対象とするのみであるが）。

これらに共通するのは、差別を受けたり、被害を被るなどした当事者が声をあげると――いや、こうした事件が報道されただけでも――不当な要求を行うことが目的であるかのように当事者が非難されることである。

2 在日コリアンに対するレイシズムの研究を手がかりに

「古典的レイシズム」と「現代的レイシズム」という概念を手がかりに、在日コリアンに対する偏見の構造に迫った研究がある。社会心理学者の高史明による『レイシズムを解剖する――在日コリアンへの偏見とインターネット』（２０１５）である。

高は、インターネット・コミュニティに流布される在日外国人（とりわけ在日コリアン）に対する差別言説に注目し、そこに二種類の異なるレイシズムがどのような文脈において現れるのかを、Twitter（現X）のツイート分析から明らかにしている。

具体的には、２０１１年末から3カ月にわたって、在日コリアンに関わる約10万件のツイートを収集し、分析ソフト（KH-Coder）[3]を使い、ツイートで使用されている語を抽出したあと、それらを「古典的レイシズム」に関わる語（犯罪、事件、逮捕、悪事、犯人、劣る、劣等……）と、「現代的レイシズム」に関わる語（特権、生活保護、受給、人権、通名、参政権、年金……）、その他のテーマに関わる語に分類している。すると、これら2種類のレイシズムに分類される語を含む投稿が、ツイート全体の、それぞれ約11～12％と、同程度ずつあること（つまり、現代的レイシズムが古典的レイシズムに置き換わったわけではなく、両方が併存していることがわかる）、また、この

2つは相互の連関も強いことがわかった。

さらに、「現代的レイシズム」は、政府・政党・政治家が在日コリアンの権利をどのように扱うか（「特定の政治家がコリアンを優遇している」など）や、ある政治家・政党が反日的であるという批判の文脈で現れ、その話題を他者と共有しようという意図をもって投稿されていることがわかった（ハッシュタグや「拡散希望」などの語を伴って投稿されている）。一方、「古典的レイシズム」はコリアンの犯罪や劣等性を言いたてたり歴史問題を取り上げたツイートに現れ、さらに「マスコミが、真実を隠している」（犯罪を隠蔽したり、歴史を捏造している）という被害者意識と結びついていることなどが分かった。

では、こうした知見を部落差別に置き換えるとどうなるのか。それが、高の論考を読み終えたあとの私の問題意識となった。

3―部落関連ツイート（2018〜19）の場合

部落に対する「現代的レイシズム」は、意識調査の自由回答欄などでしばしば目にしてきたが、いったいそれは、ネット上にどれほど広がっているのだろうか？　また、どのような文脈で現れるのか？　そうした意識は、一体、何によって強化されるのか？——これらが私の問題関心である。そこでまず、高の調査方法を参照し、同様の調査を部落差別に関しても、探索的に行ってみることにした。

２０１８年11月から～２０１９年６月末（ただし、年末年始の12日間を除く）まで、部落問題に関わるツイートを幅広く収集するため、部落を示す語（部落、同和、賤称語、運動団体の名称・略称を含めた）を検索語とし、これらの語を含むツイート収集をデータ解析を目的として専門家に依頼した。

あくまで探索的な調査であるので、結果はごく簡単に記しておく。

データのクリーニング後[4]、分析対象となったのは、11万８７８３ツイートであり、投稿者のスクリーンネーム（ユーザー名）は全部で４万９７７９あった。スクリーンネームを投稿者の同一性を判断する基準にすると（同じスクリーンネームなら、同じ者の投稿と扱う）、平均して一人が２回ツイートしたことになるが、実際には、少数の者が多数のツイートを行っており（１０００以上２人、５００～１０００未満９人、１００～５００未満46人など）、ツイート回数が１～２回の者は４万２０７８人で、全体の84・５％を占めていた。

ところでTwittbotやAutoTweetを使用し、同じ内容を自動投稿したと思われるものに注目してみると、次のような内容のものが、数多く投稿されていた。いずれも差別的内容のツイートである。

・特定の県を名指し「飲酒運転数全国1位・暴力団増率全国1位・拳銃押収数全国1位・発砲事件全国1位……」などと列挙した後、「同和地区数が全国1位」であると記し、様々な問題を部落問題と連関させようとするツイート（644件）

・「○は▲湾より先が部落」（406件）、「××（地名）って、あの大部落か」（399件）というように、部落の所在地をにおわせる内容のツイート

・「1990年代のある差別事件は、運動団体関係者の自作自演だ」という内容のツイート（300件）

一方、リツイートが際立って多かったのは、以下の2つである。いずれもメディア報道についての時事的なツイートで、差別「した人（側）」に批判的な意見である。それぞれ4千件、2千件を超えた。

・2019年、テレビのバラエティ番組が大阪市西成区と地域の高校を取り上げた際、差別的な内容を放送し、大阪府教委、地元高校、部落解放大阪府民共闘会議が抗議し、テレビ局が謝罪したことを「報告」するツイート

・2019年の参院選に立候補予定だった元アナウンサーが、講演会で、部落を暴力や

犯罪と結びつける差別発言を行ったことを「批判」するツイート

次に、部落に関わるツイートに、「現代的レイシズム」がどの程度、出現するのかを検討するため、ツイートに使われている語をソフトを使って抽出し、以下を「現代的レイシズム」としてコーディング（分類）した。

利権 or 逆差別 or 特権 or 生活保護 or 生保 or 受給 or 減免 or 優遇

「現代的レイシズム」に関わる語を含むツイートは、7142件（4524人による）で、全体の6％であった。とくに用語として多用されていたのは、利権（4887）、特権（1343）、優遇（996）であり、同和対策事業や自治体政策、マスメディア報道に対する批判がまとまっていた。

「現代的レイシズム」に関わって、リツイートが目立って多かったのは、部落出身の政治家と、その所属政党に関するものだった。一つは、「部落出身者が知事、市長になったのだから、差別はもうない。部落差別を主張する者は、優遇を求めている」という主旨のツイート、もう一つは、その政治家の所属していた政党が、「部落・朝鮮学校への補助金を廃止した」ことを評価するツイートで、それぞれ500前後あった。まさにマコナヒーが、「現代的レイシズム」は社会的・政治的問題に置換されて表現されると指摘していたとおりである。

一方、どのような語を「古典的レイシズム」にコーディングするのかは、かなり迷った。古典的＝「昔から聞かれる、部落に対する差別表現（あからさまな偏見を表出するもの）」であると、ざっくり規定して分類を始めたが、部落を「犯罪と結び付ける」ような語（犯罪、暴力団、ヤクザ、拳銃、検挙、偽装等）、「ケガレ意識」を表明する語（穢れ、汚れる、ケガレ等）、さらに、「否定的評価」を示す語（こわい、ひどい、いやしい、あやしい等）などがあり、それぞれ性質が違うので、分けて扱うことにした。

その上で、部落を示す語（「同和」「部落」など）と、これらの語の共起関係（同じツイートの中に現れるか）をみたところ、「同和」という言葉と「犯罪と結び付ける」語の共起（いずれかを含むツイートの中に、両方を含むツイートがどれくらいあるかの割合）は20％、「同和」と「現代的レイシズム」の共起は14％となった。つまり、「同和」という語は、「現代的レイシズム」を示す語より、「古典的レイシズム」、中でも「犯罪と結び付ける」語とより多く共起していた。また、「犯罪と結び付ける」語は、韓国（人）、朝鮮（人）、在日など「コリアン」を示す語とも共起関係がみられた（17％）。

なお、ツイートの分析を通じて、中近世社会から存在した「ケガレ意識」と、米騒動を契機に形成されたとも言われている「部落は『こわい』」という言説、現代社会の犯罪と部落を結び付ける言説を、すべて「古典的レイシズム」だとまとめてしまってよいのか、という疑問が大いに強まった。部落に対する「古典的レイシズム」も、時代ごとに変遷してきたのであって、差別言説の変容は「古典」「現代」と二分するばかりでなく、連続的にとらえるべきではないか、という点は、現在も研究者仲間と大いに議論をしているところである。

4 ―― 「架空のこと」が事実のようになるネット世界

ところで、部落差別とは直接に結び付かないツイートなのだが、「朝鮮部落」という語がつかわれていたため、部落関連ツイートとして大量に補足された投稿があった。「皇室や総理大臣が朝鮮部落出身だという田布施システム論はデタラメだ」というツイートで、Twitbotで1000以上投稿されていた。

「田布施システム」とは、「幕末に山口県の田布施出身者によって皇室がすげかえられ、以来、田布施の出身者や関係者によって日本は支配されている」という陰謀論の一種であり、「その背後には朝鮮人やユダヤ金融資本が関わっている」という、民族差別も深く関わるデマである。ここで捕捉されたツイートは、「これはデタラメだ」と否定してはいるが、大量の投稿は関心をひくためかもしれない。

言うまでもないが、ネットには事実ではないことも大量に投稿され、それらは人びとの意識に刷り込まれる。

デマが人びとの意識に大きな影響を与えることを、Googleトレンドを使って示してみよう。これは高が「ネット上のレイシズム研究者より、部落差別の実態把握のために」（２０１８）という論考[5]で、インターネット上での部落差別を簡便に分析できる方法として紹介していたものである。

Googleトレンドとは、Google社が提供する無料のサービスで、特定の検索語（複数も可）を入力し、期間や場所などを指定すると、それらの語がGoogle上で、どの程度検索されていたのか、また、どのような語と一緒に頻繁に検索されていたのかを調べることができる。そこで、ツイートの収集を開始した２０１８年11月、その前年からの1年間に、「部落」「同和」という語がどの程度ネット上で検索されていたのかを調べてみることにした。場所は日本に限定し、「同和」については損保会社の検索を除外するため、「同和－あいおい－ニッセイ」で検索した。次頁がその結果である。

「部落」「同和」の検索状況（上：2017.11.18〜2018.11.17, 下：2018.3.1〜31）

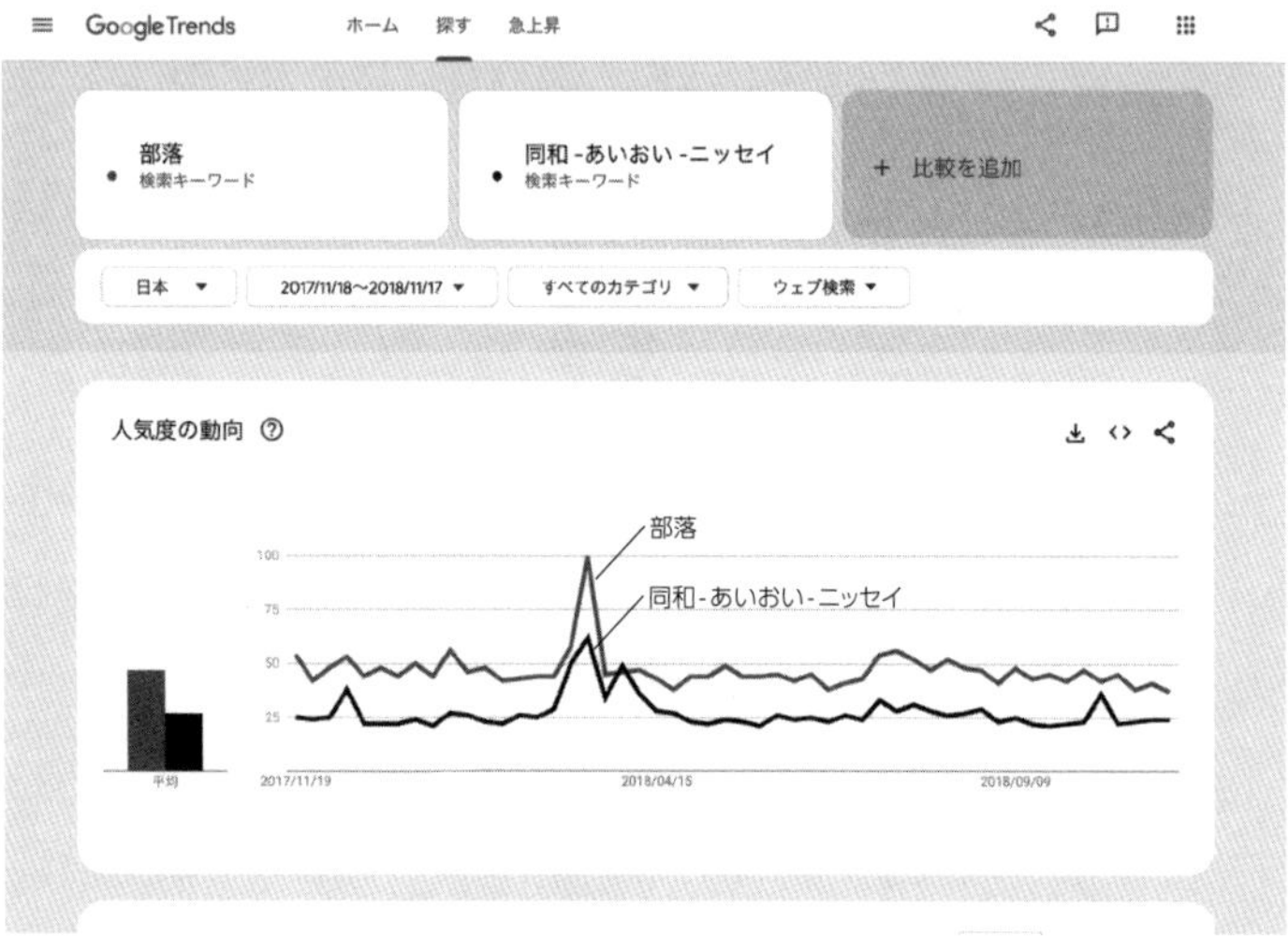

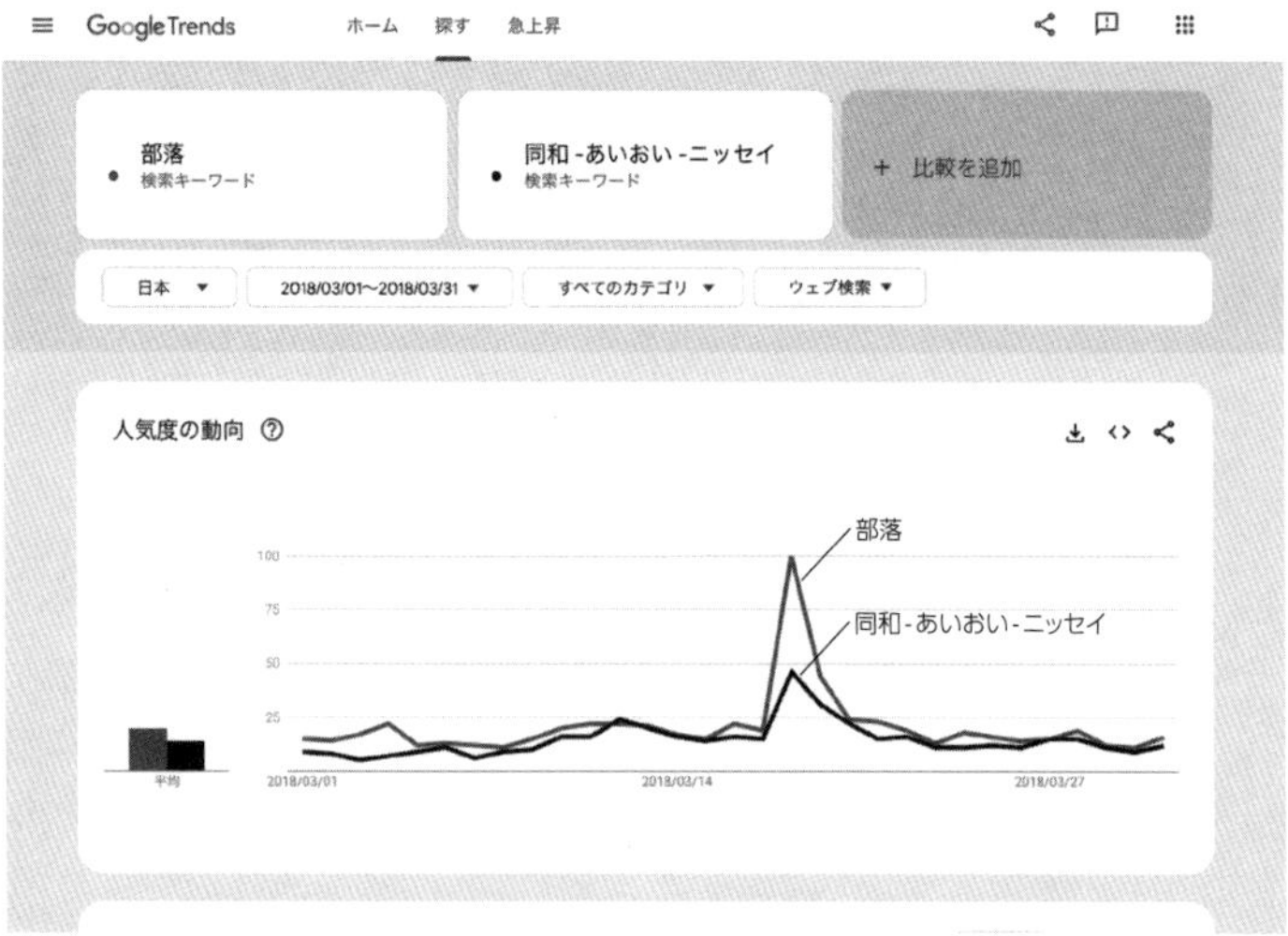

「部落」「同和」と一緒に検索された言葉

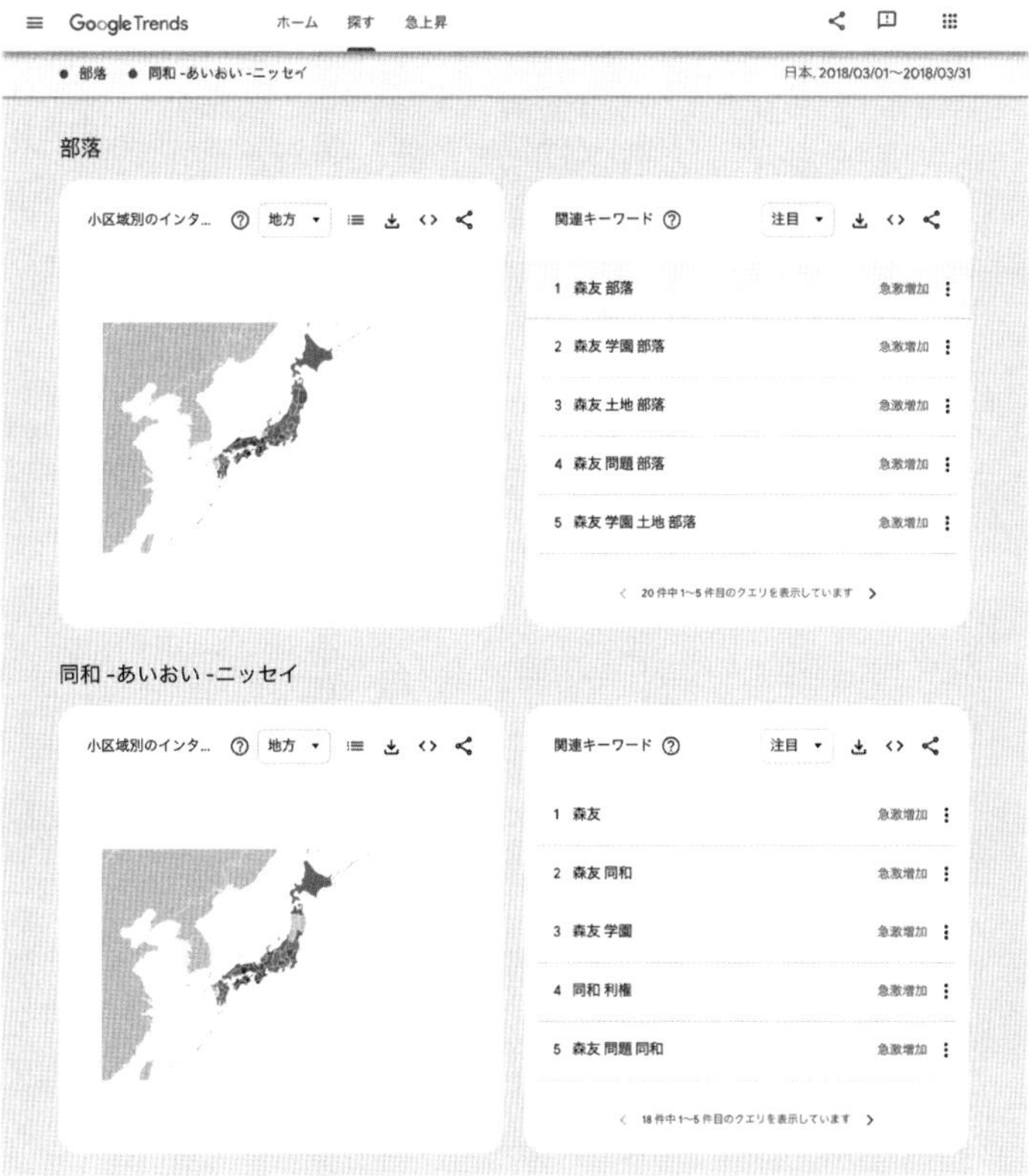

すると2018年3月半ばに、いずれの語も検索数が急増したことがわかった。ただしGoogleトレンドでは、検索数のピークを100に変換してしまうので、ピークの時期はわかるが、実数はわからない。

さらに、このピークを迎えた3月に絞り、「部落」「同和」が、どのような語と一緒に検索されているかを調べてみた。すると驚いたことに、いずれも一緒に検索されている語は、「森友」なのである。これは、国有地が大幅な値引き価格で私立学校「森友学園」に売却され、その決裁文書が改ざんされていた事件である。財務省が文書改ざんを認めたのち、その文書に「本件の特殊性に鑑み」といった表現があったと、この年の3月に報道されていた。そこから、「売却された土地は部落と関係があったにちがいない」という、予断と偏見に基づくデマが生まれ、広がったことが、こうした検索を後押ししてしまったのであろう。もしこの時期にツイート収集をしていたら、こうしたデマがかなりの程度、捕捉されたのではないかと考えさせられた。

1——「バニラエア騒動から1年半　木島さんが『障害者』と名乗らない理由」withnews２０１８年12月9日 https://withnews.jp/article/f0181209001qq000000000000000W06810101qq000018458A

2——沖縄タイムス「『基地のそばに造ったのはアンタたち』部品落下の小学校に相次いだ電話」（２０１７年12月19日）https://www.okinawatimes.co.jp/articles/-/183505

3——KH-Coderは計量テキスト分析（テキスト型データの計量的内容分析）のための、フリーソフトウェアである。これを使用すれば、収集したテキストに、どのような言葉が頻出するか、どのような言葉どうしが一緒に出現するのかといった出力を容易に行うことができる。

4――データのクリーニングでは、①ひらがな、カタカナを含まないツイート（中国語を除くため。ちなみに「部落格」は中国語でブログ）、②「同和」と「あいおい」「ニッセイ」「損保」が登場するツイート、③「同」と「和」、「部」と「落」が分かれたツイートは、収集時点で除外。④「全部落ちた」「一部落選」「高音部落として……」のようなツイートは後から検索で除外。

5――高史明（２０１８）「ネット上のレイシズム研究者より、部落差別の実態把握のために」（一社）部落解放・人権研究所『ネット上の部落差別と今後の課題～「部落差別解消推進法」を踏まえて』

第8章

「現代的レイシズム」を強化するものは何か

——大学生の意識調査から

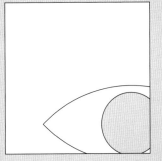

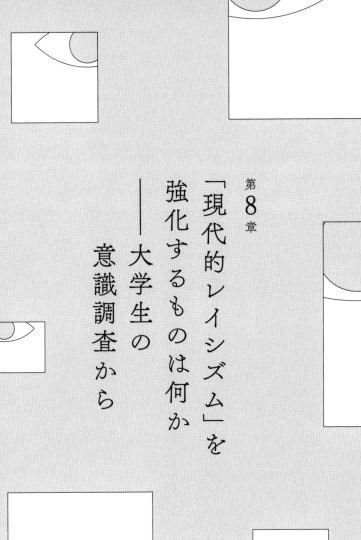

1

最後の問い
――「現代的レイシズム」を強化するものは何か

では、「現代的レイシズム」はなぜ今、日本において、問題になるのだろうか。確かに、インターネットが浸透した2000年代以降、深刻化したヘイトスピーチの中で、「特権言説」が繰り返し用いられ、強化されてきたことは事実である。だが、「現代的レイシズム」は、海外の研究が示しているとおり、インターネットが登場する以前から存在しているから、インターネットだけが理由ではないはずだ。もし、ネットの影響が特に大きいとすれば、「現代的レイシズム」は、デジタル・ネイティブ世代の若者にこそ、浸透しているはずである。

果たして、「現代的レイシズム」は若い年代に浸透しているのだろうか？　何が「現代的レイシズム」を支持する態度を強化するのだろうか？　これが私の最後の問いである。本章では、2021年に実施した、大学生の意識調査をもとに、このことを検証したい。

2——調査の概要

ここで取り上げるアンケート調査は、2021年4月〜5月に、大学生を対象に実施されたものである。私を含む6人の研究者による共同研究であり、6大学——関東2校（私立）と関西4校（私立3、公立1）——で行った。新学期早々に実施したのは、いずれの大学にも、部落問題に関する授業が開講されていたので、その影響を受ける以前に、入学直後の学生の意識をできる限り測定したいと考えたからである。そこで、全学共通科目など、新入生が数多く受講する科目を選び、受講者に対してアンケートを実施した。コロナウイルス感染症への対応のため、関東2校はオンライン、関西は対面（集合調査）となった。学生には、調査目的と個人情報保護について説明した後、調査協力を呼びかけ、同意する場合にスマートフォン等からQRコードを読み込んでもらい、Googleフォーム上で回答してもらった。

なお、このアンケートでは「同和問題」「同和地区」という用語を使用していたので、質問や

図12｜大学生（2021）――回答者の属性（n=1537）

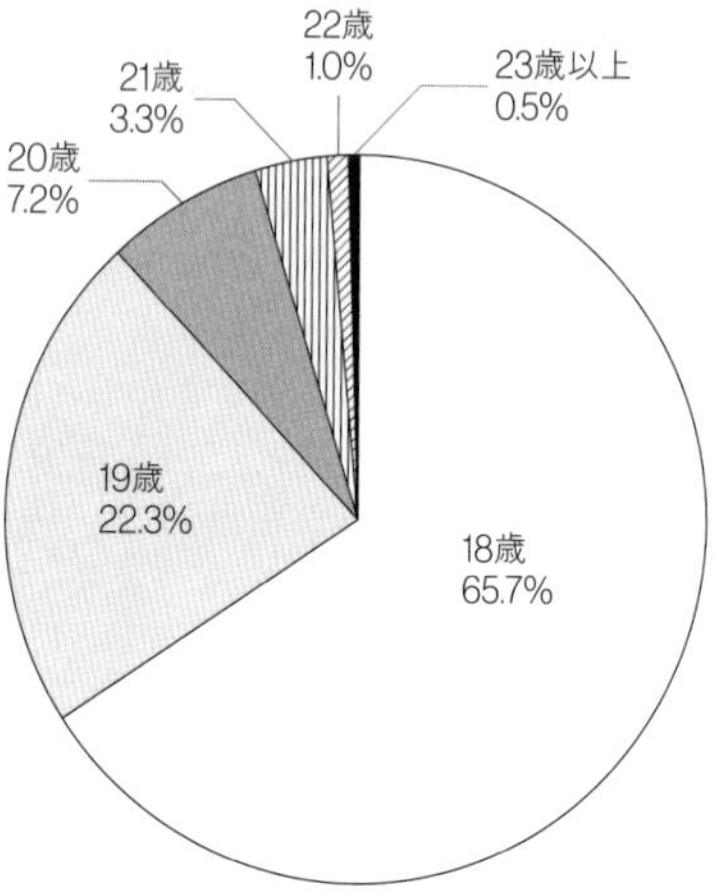

回答肢を示す際には、ここでもそのように記す。

3　回答者の属性

６大学の回答者（有効票）は１５３７であった。性別では女性（52・１％）、男性（47・４％）、年齢別では、18歳（65・７％）、19歳（22・３％）を合わせて、20歳未満が約９割を占めた（図12）。これら20歳未満の学生は２００１～03年生まれである。また、２０１６年に「部落差別解消推進法」が施行された当時は13～15歳である。

少数の例外はあるかもしれないが、この調査の回答者は、「法期限後」（国による同和対策事業が２００２年に終了した後）に義務教育を受けた者であることを最初にことわっておきたい。

図13｜大学生(2021)——人権問題に関わる文書・法律の認知(n=1537)

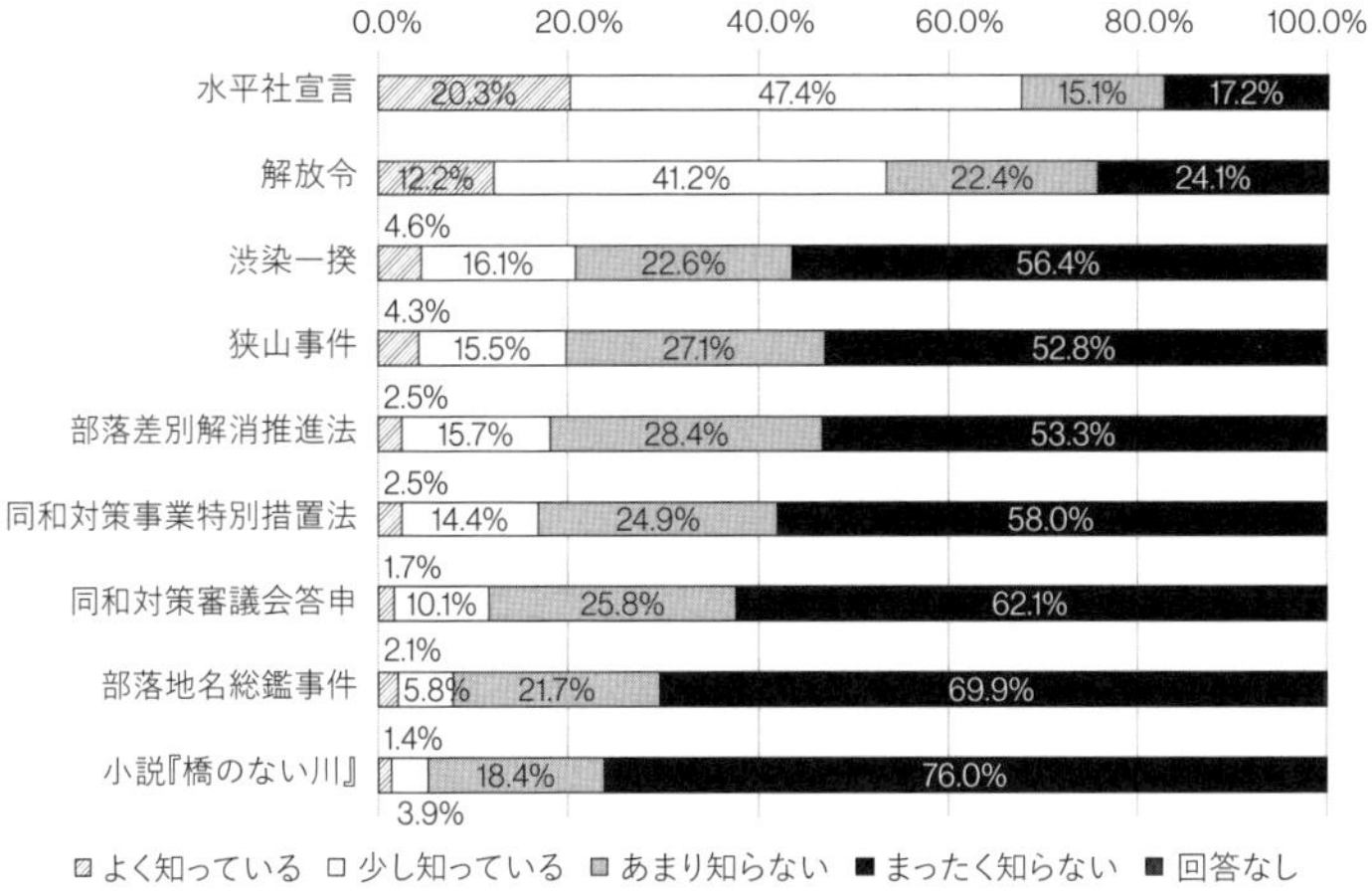

4 歴史・政策等に関する知識

ではこの学生たちは、部落問題に関わる歴史、政策などについて、どの程度知識があるのだろうか。

図13は、歴史（渋染め一揆、解放令、水平社宣言）、法・政策（同和対策審議会答申、同和対策事業特別措置法、部落差別解消推進法）、狭山事件、部落地名総鑑事件、『橋のない川』（住井すゑによる小説）をあげ、認知度を4件法（「よく知っている」「少し知っている」「あまり知らない」「まったく知らない」から1択）で聞いた結果である。図は、「よく知っている」「知っている」を合算して認知度とし、その高かった項目を上から順に示している。

歴史的文書である「水平社宣言」「解放令」は教科書にも登場するので、認知度が5割を超えているが、法・政策や「狭山事件」は1〜2割、「部落地名総鑑事件」は、1割に満たない。つまり、教科書的知識としての歴史は知っていても、現代社会において、問題解決のためにどのような取り組みが行われてきたのかを知らないのだ。

例えば、部落の所在地情報の拡散が、部落差別につながる問題行為であることを理解するためにも、「部落地名総鑑事件」を知っていてほしいところであるが、その認知度は7・9%にとどまった。

5 部落問題の認知経路

部落(同和)問題について初めて知ったきっかけを15の選択肢から選ぶよう求めた結果は、表7のとおりである。

「同和問題を知らない」と「回答なし」を除き、何らかの認知経路を選択したのは1109人(72・2%)であった。つまり7割強が、部落(同和)問題を「知っている」ことになる。認知経路の中では、特に「学校」がまとまっていた(小、中、高で53・2%)。

表7｜大学生(2021)——同和問題(部落問題)について初めて知ったきっかけ

	度数	%	
同和問題(部落問題)を知らない	397	25.8	
家族・親族から聞いた	127	8.3	
近所の人から聞いた	6	0.4	
職場(アルバイト先など)の人から聞いた	1	0.1	
友人・先輩・後輩から聞いた	10	0.7	
小学校の授業で教わった	234	15.2	小中高 53.2%
中学校の授業で教わった	327	21.3	
高校・高等専修学校の授業で教わった	256	16.7	
大学の授業で教わった	31	2.0	
テレビ・ラジオ・新聞・本等で知った	25	1.6	
インターネット(ウェブサイト、ソーシャルメディアを含む)で知った	26	1.7	
同和問題に関する集会や研修会で知った	4	0.3	
都道府県や市区町村の広報紙や冊子等で知った	4	0.3	
同和問題(部落問題)は知っているが、きっかけは覚えていない	53	3.4	
その他	5	0.3	
回答なし	31	2.0	
合計	1537	100.0	

なお、これ以降の質問は、部落（同和）問題を「知っている」者を対象として聞いているので、この1109人のみが回答している（年齢別構成は、全体とほとんど変わらない）。

6 — 情報源は何か

次に、「同和問題について、過去3年間で見聞きしたもの」を10項目から、複数回答方式で選択するよう求めた（図14）。

「高校・高等専修学校の授業」（学校は公的情報源）が6割弱で、目立って高い割合である。続いて、「TV・ラジオ・新聞・本等」「インターネット」「家族・親族の話」（家族は私的情報源）が、それぞれ2割を超えた。

また、デジタル・ネイティブ世代の学生が、特にインターネットで何を見ているのか気になるところである。そこで、全員を対象に、「インターネット上で、見たことのある同和問題についての書き込み」を9つの選択肢から選ぶよう求めた（複数回答）。

図15のとおり、「あてはまるものはない」と回答した者が60・4％で最も高い割合となった。ここにどの程度、「差別をなくそう」とするような積極的情報を見た者が含まれるかは、わから

図14｜大学生（2021）――過去3年間で見聞きしたもの（複数回答，n=1109）

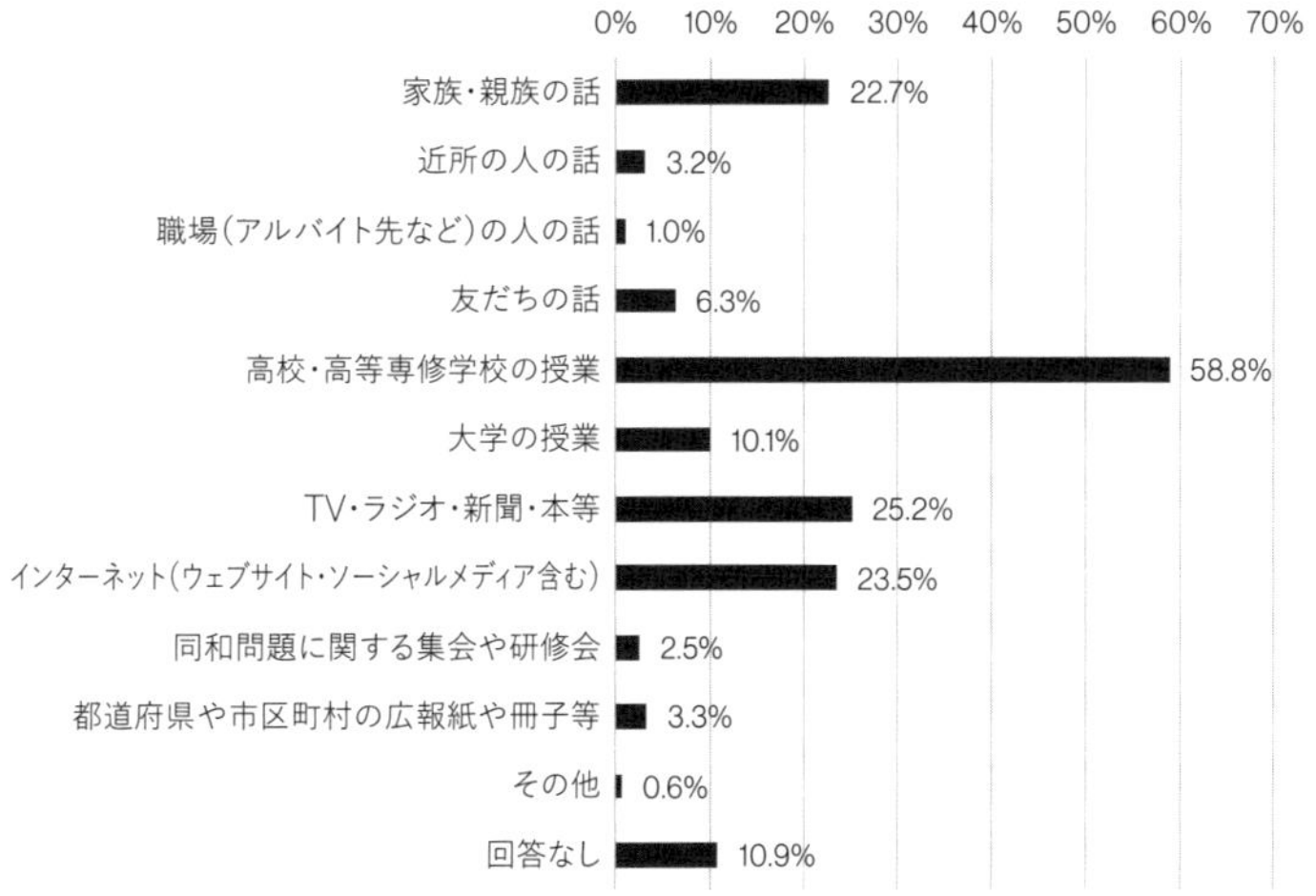

図15｜大学生（2021）――ネットで見た書き込み（複数回答，n=1109）

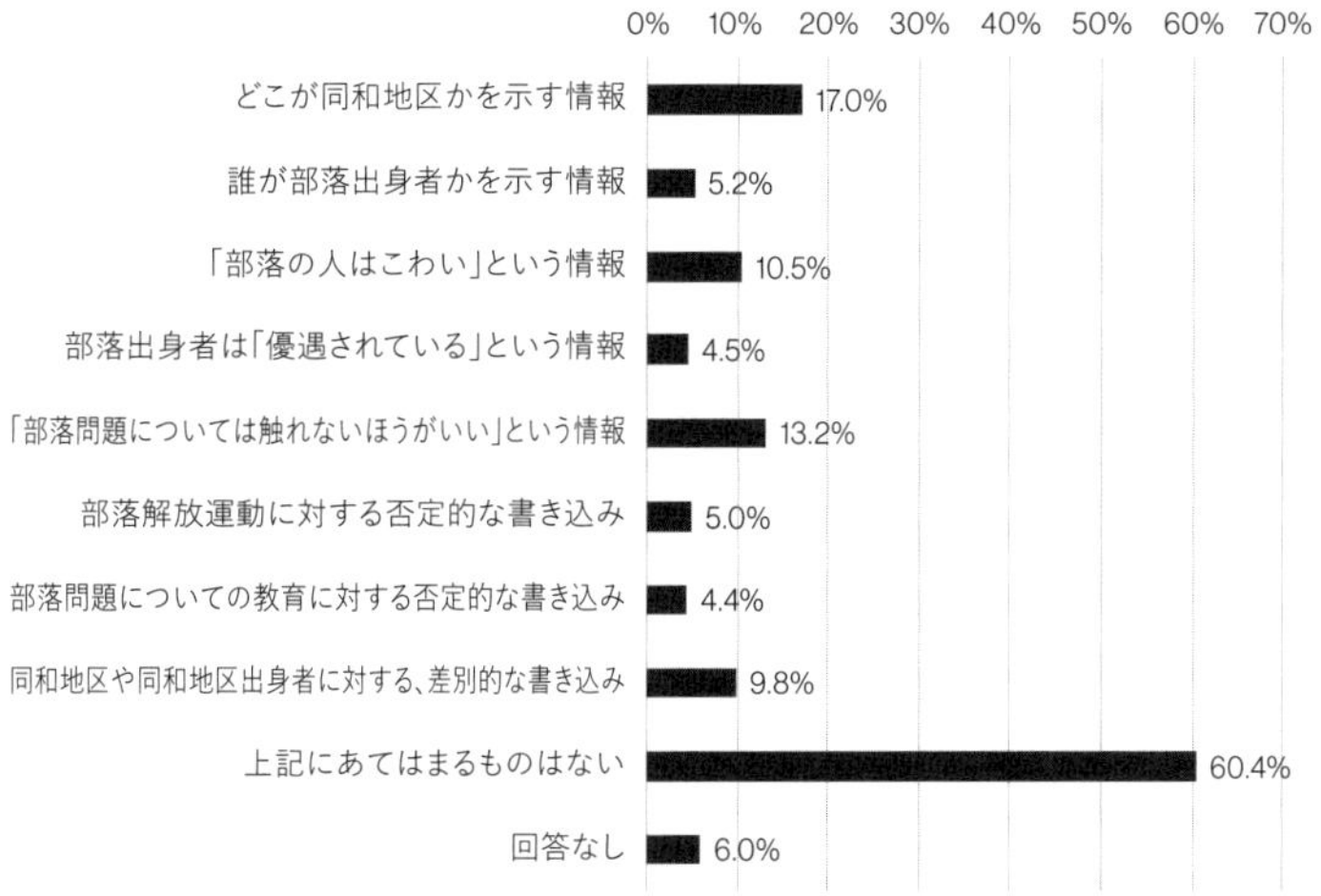

ない。だが、残る選択肢の中では、「どこが同和地区かを示す情報」（17・0％）、「部落問題については触れないほうがいい、という情報」（13・2％）、「部落の人はこわい、という情報」（10・5％）がそれぞれ1割を超えた。また、「同和地区や同和地区出身者に対する差別的な書き込み」も1割近い。つまり、差別的・消極的情報としては、「どこに部落があるか」に次いで、「寝た子を起こすな」という考え方や、偏見・差別にあたる情報が相対的に多い。

これに対して「部落の人は優遇されているという情報」「部落解放運動に対する否定的な書き込み」「部落問題についての教育に対する否定的な書き込み」など、「現代的レイシズム」に関連する回答は、それぞれ5％以下にとどまった。

7 部落差別は「不当な差別」だと知っているか

これまでの結果を見る限り、学生たちが部落問題を知り、情報を得るルートは、圧倒的に学校である。学校のような公的機関が伝えるのは、科学的に検証された知識であり、「差別はいけない」というメッセージである。

「だからこそ」の結果であるかもしれないが、「部落差別が不当な差別であることを知っているか」と聞いたところ（回答は、「知っている」「知らない」「部落差別は不当な差別ではない」から1択）、「知っている」が95・0％で圧倒的多数を占め、「部落差別は不当な差別ではない」を選択した者はいなかった（図16）。

このことはまた、学生たちが学校以外の情報源、例えばインターネットからもインフォーマルな情報を得てはいるものの、「現代的レイシズム」のような、ねじれた表現にはあまり接触していないことをうかがわせる。

図16｜大学生（2021）―部落差別が不当な差別と知っているか（n=1109）

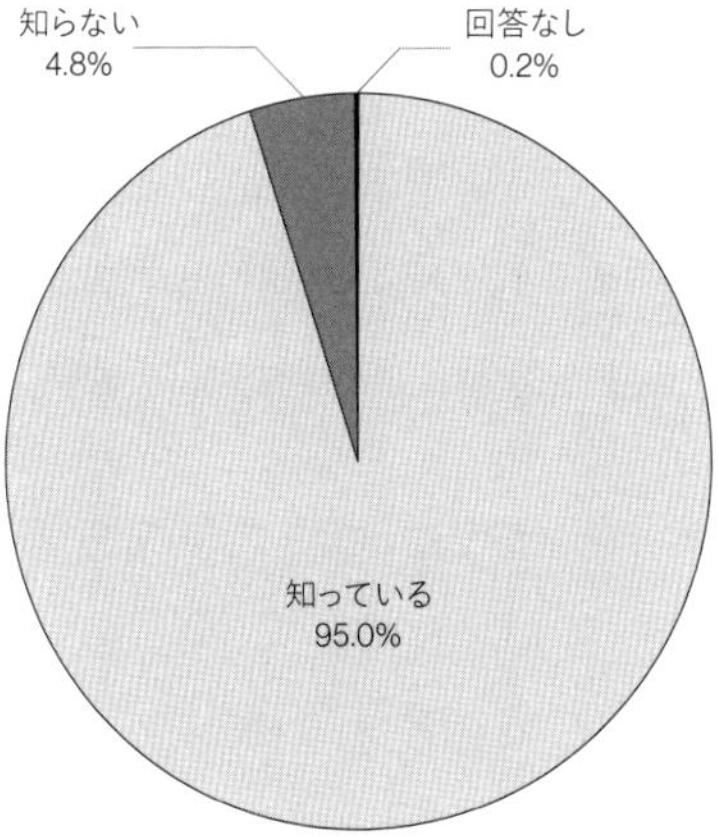

8
部落の「人」と「土地」に対する忌避意識のちがい

ところで、「部落差別は不当な差別だ」と認識しているのなら、その不当な差別を自分が「する」側になることには、ブレーキがかかるはずである。「差別は不当だ」と認識している者は95％と、圧倒的多数であったから、それならば具体的な場面での、部落や部落出身者に対する忌避意識は、かなり低くなるはずである。

そこで、これら2つの場面について次のような質問を行い、部落出身者（人）、部落（同和地区）の土地に対する忌避意識をきいた。以下が、質問とその結果（図17・18）である。

結婚―あなたが結婚したいと思う相手が被差別部落（同和地区）出身者だとわかった場合、どんな態度をとるか

・考え直すだろう（1・5％）

・迷いながらも、結局は考え直すだろう（6・0％）

・迷いながらも、結局は問題にしないだろう（30・6％）

・まったく問題にしないだろう（61・3％）

住宅の選択―家を購入したりマンションを借りたりするなど、住宅を選ぶことになった場合、同和地区や同和地区を含む小学校区内の物件は避けることがあると思うか

・同和地区の物件だけでなく、同和地区を含む小学校区内の物件も避けると思う（10・4％）

・同和地区の物件は避けるが、同和地区を含む小学校区内の物件は避けないと思う（10・1％）

図17｜大学生（2021）——結婚したい相手が被差別部落出身だとわかったら（n=1109）

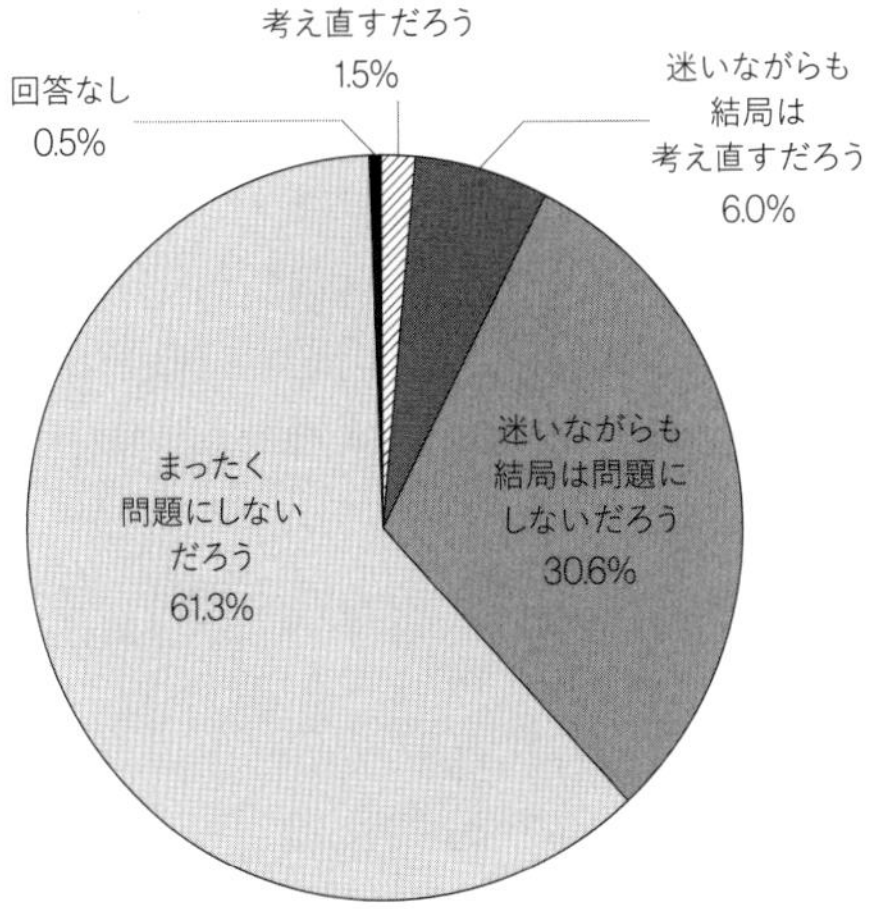

図18｜大学生（2021）——住宅を選ぶとき、同和地区・地区を含む小学校区内の物件を避けることがあると思うか（n=1109）

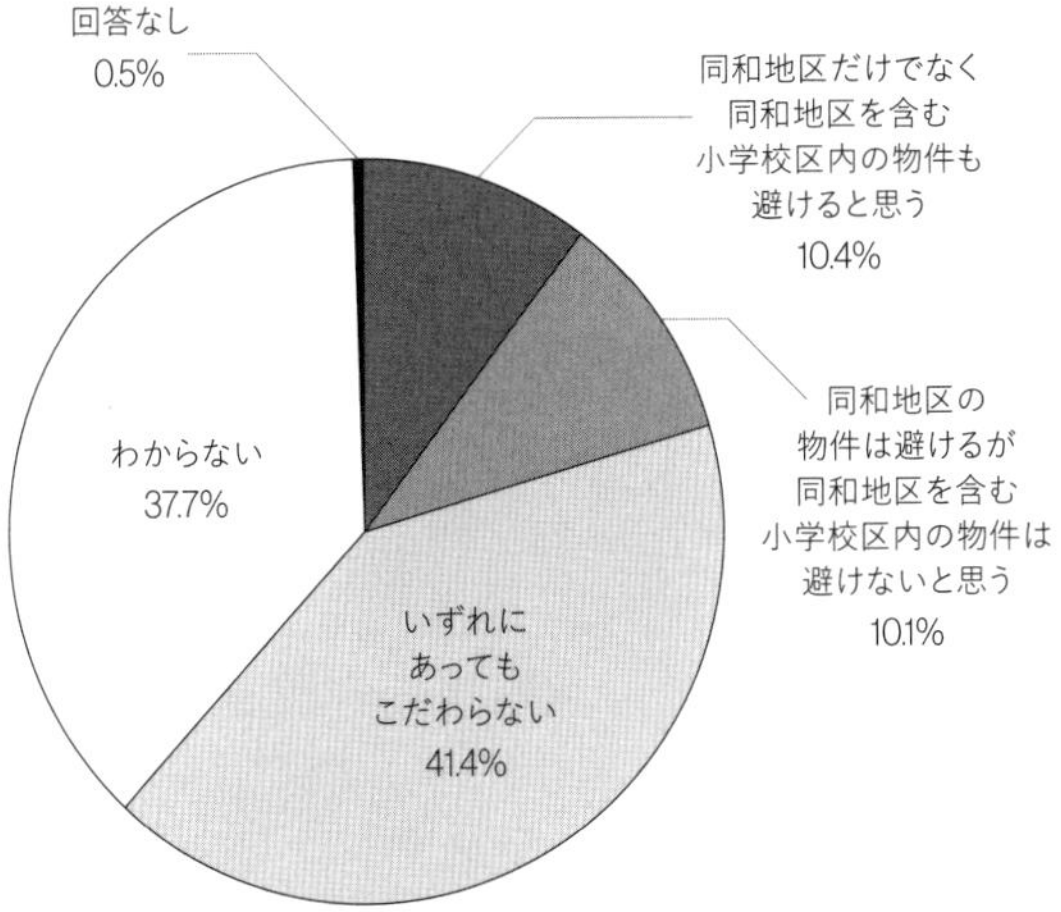

・いずれにあってもこだわらない（41・4％）
・わからない（37・7％）

これらの結果をより分かりやすく「見える化」するため、「忌避」という回答と、「忌避しない」という回答に分けて、下記のとおり合算することにした。

結婚

・忌避……「考え直すだろう」＋「迷いながらも結局は考え直すだろう」＝ともかくも〝考え直す〟
・忌避しない……「迷いながらも結局は問題にしないだろう」＋「全く問題にしないだろう」＝ともかくも〝問題にしない〟

住宅の選択

・忌避……「同和地区だけでなく同和地区を含む小学校区内の物件も避ける」＋「同和地区の物件は避けるが、同和地区を含む小学校区内の物件は避けないと思う」＝ともかくも〝同和地区の物件は避ける〟
・忌避しない……いずれにあってもこだわらない

表8|大学生(2021)——結婚・住宅の選択における忌避意識(n=1109)

	忌避	忌避しない
結婚	ともかくも"考え直す"	ともかくも"問題にしない"
	7.6%	91.9%
住宅	ともかくも"同和地区の物件は避ける"	いずれにあってもこだわらない
	20.5%	41.4%

両問の回答の尺度は異なるので、単純な比較によって断定はできないものの、表8のとおり、「結婚（人）」「住宅（土地）」のそれぞれについて、忌避意識を見ると、「結婚」（7・6％）より、「住宅（土地）」（20・5％）の割合が高い。

反対に、「結婚」では〝ともかくも問題にしない〟（91・9％）が圧倒的多数であるのに、「住宅（土地）」の「いずれにあってもこだわらない」（41・4％）は、その半分にも満たない。また、「住宅（土地）」では、「わからない」（態度保留）が4割弱と多いことも目立っていた。

さらに、〝ともかくも同和地区の物件は避ける〟と回答した者に、自由回答方式で理由の記入を求めたところ、「自分が差別を受けることを避けたい」「家族・子どもが差別を受けることを避けたい」という主旨の回答が、それぞれ30数人、40数人とまとまっていた。このような傾向は、第4章で取り上げた、自治体の人権意識調査の結果とも重なっており、「みなし差別」回避の心理が見て取れる。

9 部落差別における「現代的レイシズム」「古典的レイシズム」の検討

そろそろ核心にある疑問を取り上げよう。大学生、すなわち若者世代の部落問題認識に、「現代的レイシズム」はどの程度、影響を与えているのであろうか。

もっとも、「現代的レイシズム」の影響を検討するには、それだけではなく、古いタイプの差別意識（古典的レイシズム）の影響とも比較する必要がある。そこでアンケートでは、「古典的レイシズム」「現代的レイシズム」にあたる差別言説を複数あげ、それらに対する考え（賛成〜反対）を聞いてみることにした。

ところで、ツイート分析の際にも同様の課題に直面したが、部落に対する「古典的レイシズム」を言語化するのは意外にも難しい。共同研究チームでは、古典的レイシズム＝「昔から聞かれる、部落に対する差別表現（あからさまな偏見を表出するものや、「寝た子を起こすな」「部落民分散論」など）ととらえ、検討の結果、「劣っている」「低所得」「閉鎖的」「集団で行動する」「こわい」「ふれないほうがいい」といったキーワードを使用することにした。これに対して「現代的レイシズム」では「過剰な要求」「優遇」「行政・メディアの過度な配慮」「努力せず福祉に頼る」をキーワードとした。これらのキーワードをもとに、以下のような「部落・部落出身者に対する意見」を示し、賛成~反対を4件法(「そう思う」「どちらかといえばそう思う」「あまりそう思わない」「そう思わない」から1択)によって聞くことにした。

現代的レイシズムにあたる(と想定した)意見

- 部落出身者は、平等の名の下に過剰な要求をしていると思う
- 部落出身者は、行政からの特別な扱いを受け、優遇されていると思う
- 行政やマスコミは、部落出身者に対して、過度な配慮をしていると思う
- 部落出身者に対する差別は、もはや大した問題ではないと思う
- 差別を受けるのは、当事者である部落出身者がもっと努力をしないからだと思う
- 部落出身者は、社会福祉に頼りすぎていると思う

古典的レイシズムにあたる(と想定した)意見

- 差別を受けるのは、部落出身者に劣っているところがあるからだと思う
- 部落出身者には、所得の低い人が多いと思う
- 部落出身者には、地区外の人に対して、閉鎖的な意識を持った人が多いと思う
- 部落出身者は、何か問題が起こると集団で行動することが多いと思う
- 「部落の人はこわい」と思う

・部落問題については触れないほうがいいと思う
・同和問題（部落差別）は口に出さずにそっとしておけば自然に差別はなくなる
・同和地区（部落）の人びとがかたまって住まないで分散して住めば、差別はなくなる

上記の問いに対する回答結果は図19・表9のとおりである。いずれも、「そう思う」「どちらかといえばそう思う」を合算し、ともかくもその意見に〝賛成〟した者の割合が多かった順に上から並べている。

「賛成」の割合を見ると、上位には「低所得」「閉鎖的」「集団で行動」（あからさまに否定的なイメージ）と、「触れないほうがいい」「そっとしておけば自然になくなる」「分散して住めば差別はなくなる」が並び、それぞれ2〜3割となっている。いずれも、「古典的レイシズム」言説である。

これに対して「現代的レイシズム」では、「差別はもはや大した問題ではない」「行政やマスコミは部落出身者に対して過度な配慮をしている」が、それぞれ1割を超えるが、その他の項目は1割を超えなかった。本調査の回答者においては、「古典的レイシズム」意識のほうが優勢で、「現代的レイシズム」意識はそれほど強くない、という結果になった。

では、その理由は何か？と考えさせられるが、まずは、回答した大学生が持っている部落問題に関する知識が、教科書に出てくるような歴史的出来事に偏り、問題解決のために実施され

図19｜大学生（2021）——部落出身者に対して感じていること（ネガティブな回答の多い順, n=1109）

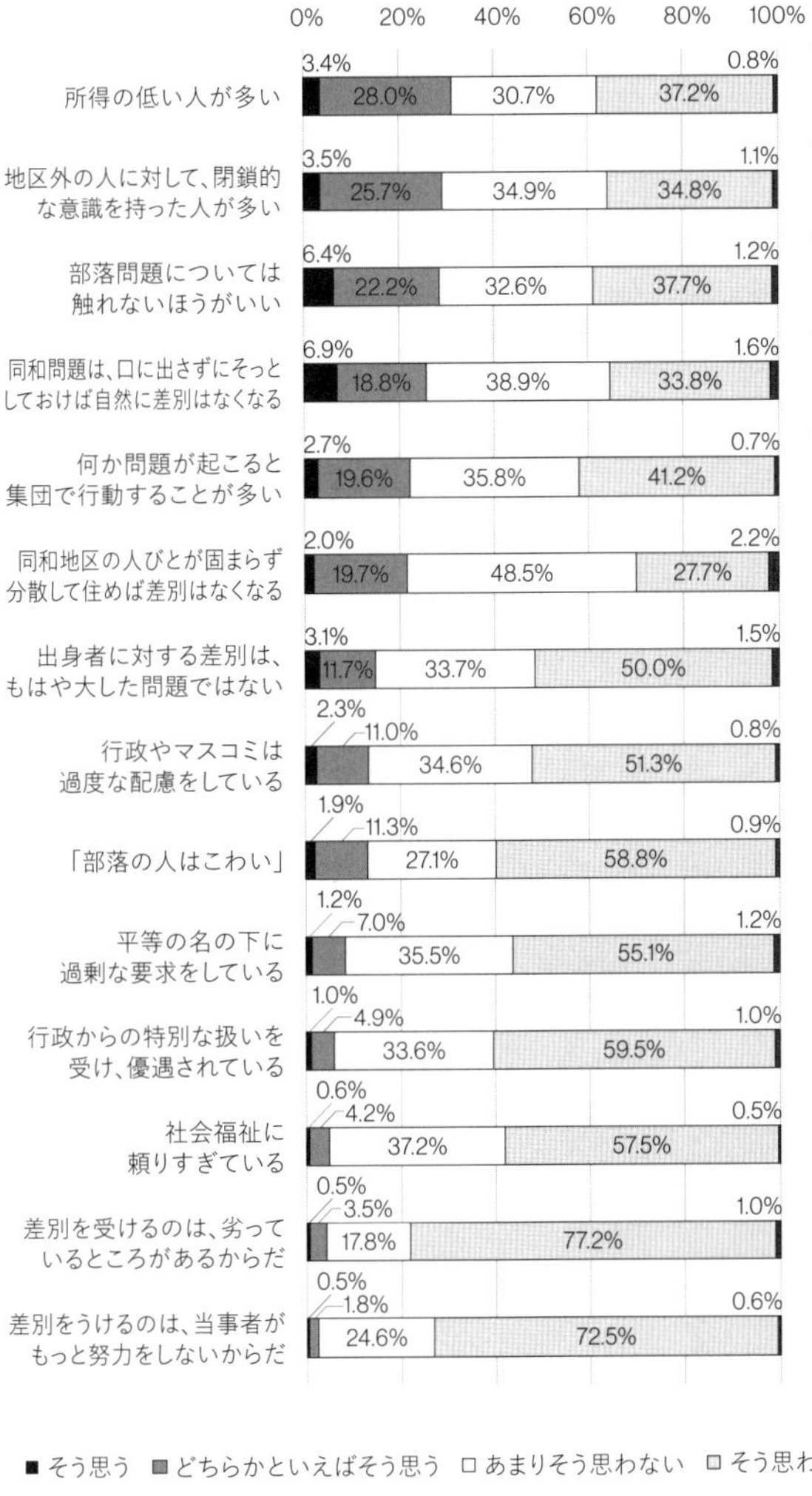

表9｜賛成と反対の割合

賛成	反対
31.4%	67.8%
29.2%	69.7%
28.6%	70.2%
25.7%	72.7%
22.3%	77.0%
21.7%	76.2%
14.8%	83.7%
13.3%	85.9%
13.2%	85.9%
8.2%	90.6%
5.9%	93.1%
4.9%	94.7%
4.1%	95.0%
2.3%	97.1%

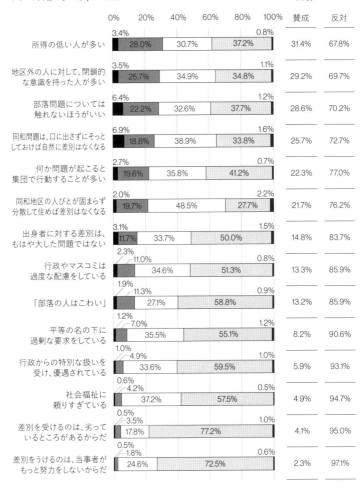

てきた政策や、その裏付けとなる法律などについて、あまり知らないからではないか。マコナヒーが指摘していたように、「現代的レイシズム」は、リベラルな反差別政策への反発として表れるのだとすれば、学生には、「現代的レイシズム」に共鳴するほど、法・政策に関する知識がなく、それらに反発するにも至っていない、ということになる。

「現代的差別」「古典的差別」に係る質問のグループ化を試みる(因子分析)

ところで、14の問いに対する回答を個別に検討するばかりでなく、「因子分析」という統計手法を使うことによって、14の回答の背景にある構造をつかみたいと考えた(以下、統計的な手続きは、できるだけわかりやすく説明することを心がけ、細かい説明は注に示すようにする)。

例えば、14問のうち、いくつかの回答には、お互いに高い相関が見られたとすれば、それらの問いは「共通する何か」を測定していると考えられる。因子分析とは、回答の相関関係をもとに、「共通する何か」から同じように強い影響を受けている質問群をまとめる手法である。グループ化された質問群をじっくりと見て、それぞれについて「共通する何か」(「共通因子」という)を探り出す(これは結構、研究者の主観と勘どころによる)。

ここでは14問に対する回答に、賛成~反対が、高~低となるようスコアを与え(「そう思う」=4、「どちらかといえばそう思う」=3、「あまりそう思わない」=2、「そう思わない」=1点。「回答なし」は除外)、因子分析を行った。その結果は、表10のとおりである。その結果、意味のある

3つの共通因子が抽出された[1]。

この、3つの共通因子がそれぞれ何であるかは、後で考えることとして、3つの因子がそれぞれの質問に対する回答に与えている影響の大きさが、表中の小数（「負荷量」という）で表されている（この数字は-1から1の間の値をとり、絶対値が大きいほど、影響が強い。マイナスなら負の影響となる）。

例えば第一因子に6問が高い負荷量を示しているのは、この6問が「共通する何か」（第1因子）を測定しているため、回答が、その「何か」から強い影響を受けているためである。同じように、第2因子から強い影響を受けた質問、第3因子から強い影響を受けた質問が、それぞれ4問ずつある。

統計的な手続きとして、このように3つに分かれた質問群を、それぞれ一貫性のあるひとまとまりの質問群として扱ってよいかどうかを検証したところ、第三の質問群はこれに耐えない（一貫性が低く、何らかのまとまりあるグループとして扱えない）ことがわかった[2]。そこで、第一、第二の質問群のみに注目することにした。

では、第一、第二の質問群にそれぞれ影響を与えている共通因子とは何であろうか。表をじっくり眺めてみると、第1因子に高い負荷量を示した6問には「優遇」「過剰な要求」「福祉に頼りすぎ」等の言葉が使われており、第一因子は「現代的レイシズム」因子と名づけることができそうである。もっとも、「差別を受けるのは、部落出身者に劣っているところがあるからだ

表10｜大学生（2021）——因子分析の結果（回転後の因子行列）

	第1因子	第2因子	第3因子	共通性	
部落出身者は、行政からの特別な扱いを受け、優遇されていると思う	0.734	0.242	0.156	0.622	「現代的レイシズム」因子
部落出身者は平等の名の下に過剰な要求をしていると思う	0.660	0.217	0.147	0.505	
部落出身者は、社会福祉に頼りすぎていると思う	0.657	0.409	0.233	0.653	
行政やマスコミは、部落出身者に対して、過度な配慮をしていると思う	0.578	0.282	0.166	0.441	
差別をうけるのは、当事者である部落出身者がもっと努力をしないからだと思う	0.563	0.211	0.210	0.406	
差別を受けるのは、部落出身者に劣っているところがあるからだと思う	0.529	0.260	0.128	0.364	
部落出身者には、地区外の人に対して、閉鎖的な意識を持った人が多いと思う	0.249	0.705	0.079	0.566	「古典的レイシズム」因子
部落出身者は、何か問題が起こると集団で行動することが多いと思う	0.332	0.627	0.062	0.507	
部落出身者には、所得の低い人が多いと思う	0.197	0.622	-0.007	0.425	
「部落の人はこわい」と思う	0.412	0.527	0.139	0.468	
同和問題（部落差別）は、口に出さずにそっとしておけば自然に差別はなくなる	-0.004	-0.099	0.859	0.748	
部落問題については触れないほうがいいと思う	0.216	0.307	0.450	0.343	
同和地区の人びとがかたまって住まないで、分散して住めば差別はなくなる	0.146	0.031	0.419	0.198	
部落出身者に対する差別は、もはや大した問題ではないと思う	0.242	0.108	0.418	0.245	
因子寄与	2.846	2.136	1.509	6.491	
累積寄与率	20.327	35.585	46.363		

因子抽出法：主因子法 a. 5回の反復で回転が収束した（バリマックス回転）
回転法：Kaiserの正規化を伴うバリマックス法

と思う」については、「劣る」という表現から「古典的レイシズム」を示す意見だと想定していたが、これが「新しいレイシズム」に分類されたことは、当初の想定とは異なった。

他方、第2因子に高い負荷量を示した質問には、「閉鎖的」「集団で行動」「所得が低い」「こわい」といった語が並ぶので、「古典的レイシズム」因子と名づけることができよう（ただし、「こわい」は「現代的レイシズム」にもやや高い値となってはいる）。

改めて整理すると、「現代的レイシズム」因子、「古典的レイシズム」因子から影響を受けている質問群は、それぞれ次の通りである。

「現代的レイシズム」質問群

- 部落出身者は、行政からの特別な扱いを受け、優遇されていると思う
- 部落出身者は、平等の名の下に過剰な要求をしていると思う
- 部落出身者は、社会福祉に頼りすぎていると思う
- 行政やマスコミは、部落出身者に対して、過度な配慮をしていると思う
- 差別を受けるのは、当事者である部落出身者がもっと努力をしないからだと思う
- 差別を受けるのは、部落出身者に劣っているところがあるからだと思う

「古典的レイシズム」質問群

・部落出身者には、地区外の人に対して、閉鎖的な意識を持った人が多いと思う
・部落出身者は、何か問題が起こると集団で行動することが多いと思う
・部落出身者には、所得の低い人が多いと思う
・「部落の人はこわい」と思う

10 「現代的レイシズム」「古典的レイシズム」と部落に対する忌避意識

では、「現代的レイシズム」因子、「古典的レイシズム」因子は、「結婚」や「住宅の選択」という場面での、部落に対する忌避意識とは、どのように関わっているだろうか？

その傾向を把握するため「因子得点」を見ることにした。因子得点とは、それぞれの回答者が、どれほど強く、ここで把握した二つの因子に影響を受けているか、その度合いを表すものである。得点は、平均が0になるように標準化され[3]、値がプラス／マイナスのいずれの値をとっているか、またその値の大きさによって、傾向を読み取ることができる。具体的に見てみよう。

図20は、「結婚したいと思う相手が部落出身者だとわかった場合、どんな態度をとるか」、図

図20|結婚における忌避意識×現代的・古典的レイシズム因子得点

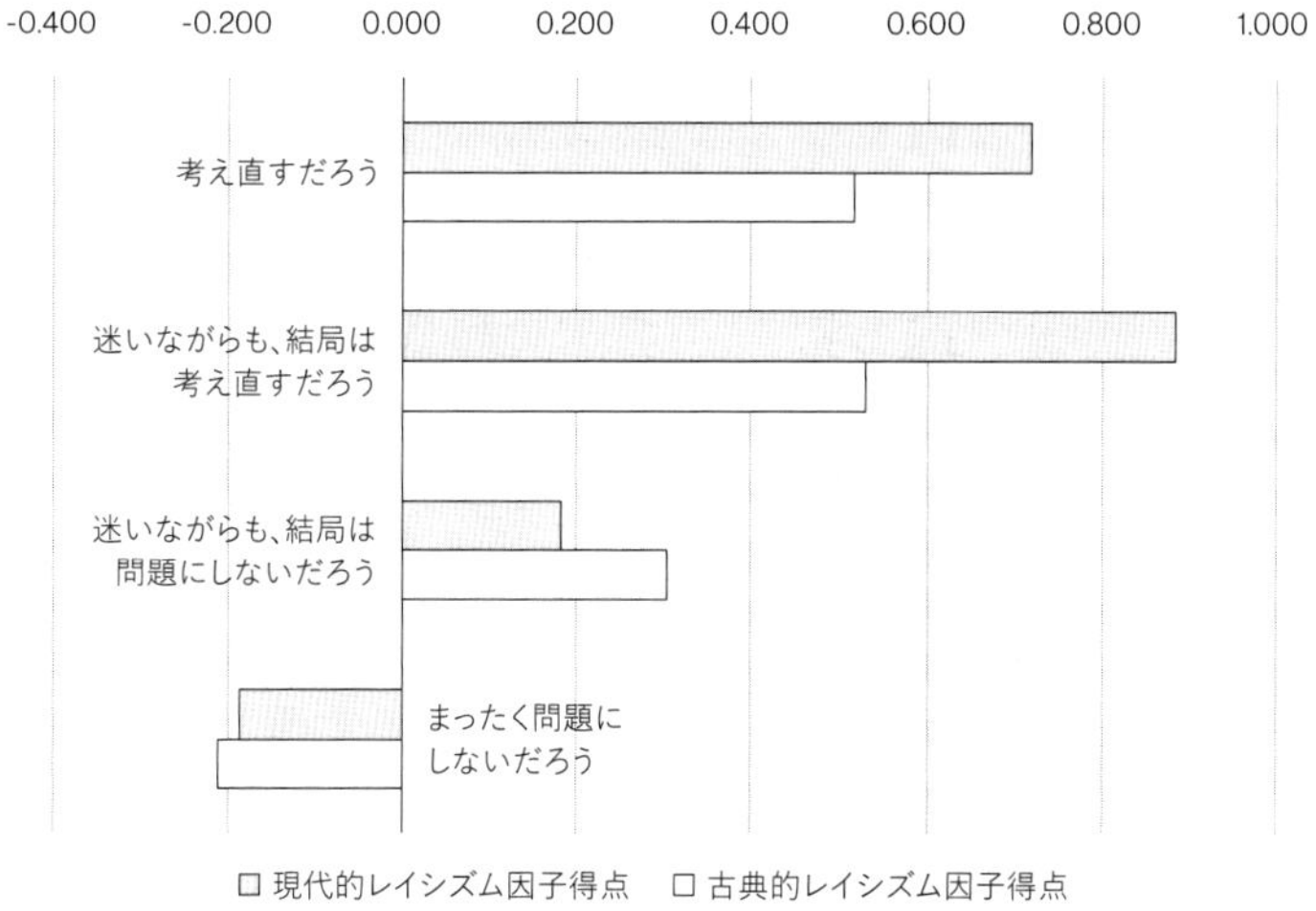

図21|住宅の選択における忌避意識×現代的・古典的レイシズム因子得点

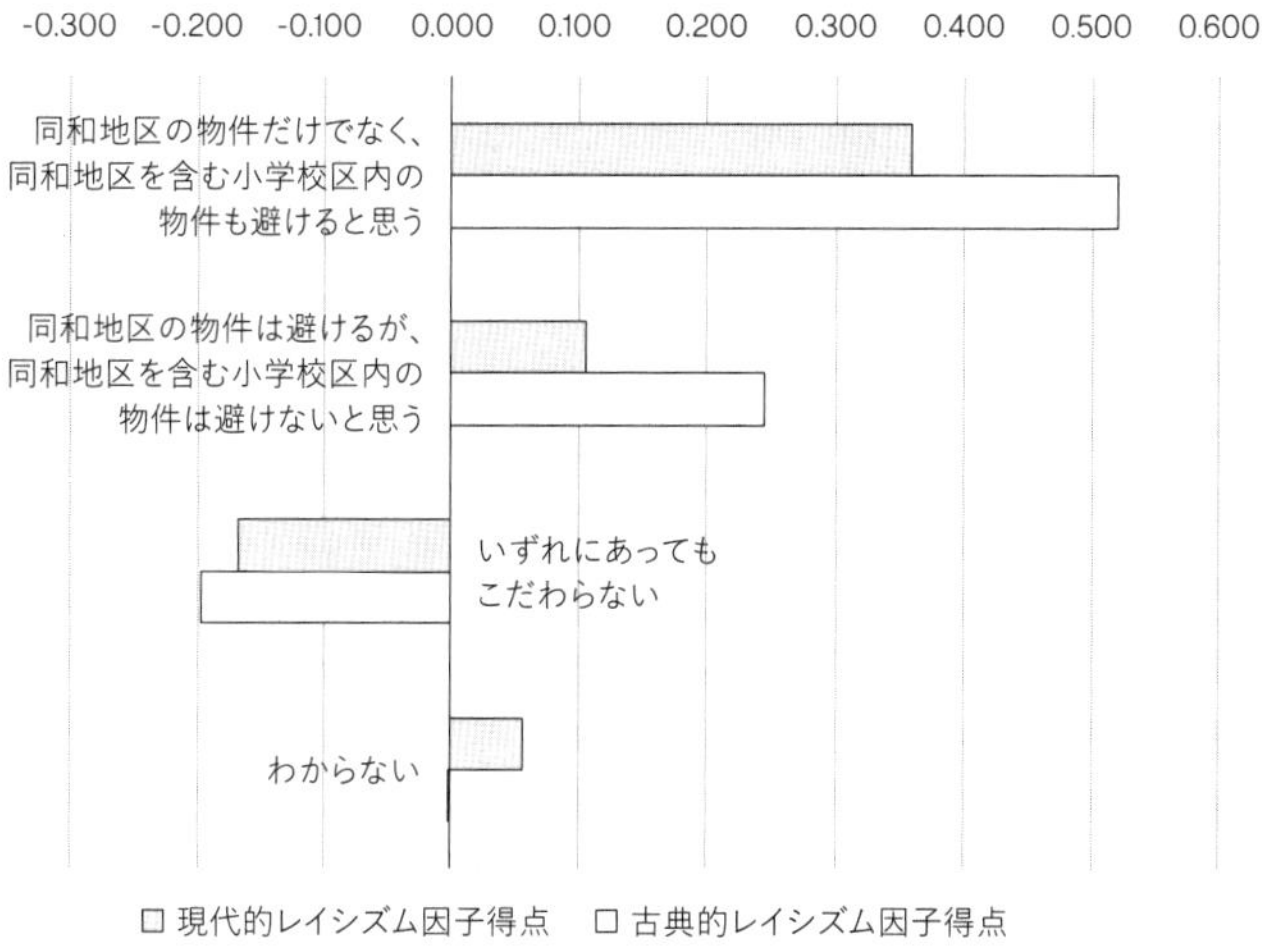

21は「住宅を選ぶことになった場合、同和地区や同和地区を含む小学校区内の物件は避けることがあると思うか」という問いに対する回答の別に、「現代的レイシズム」因子得点、「古典的レイシズム」因子得点（その回答肢を選んだ者の平均点）を示した図である。

いずれも、棒が右（＋）に伸びていれば、その因子からプラスの影響を受けていることになり、左（－）に伸びていれば、その逆ということになる。図を見ると、差別的回答（「結婚を考え直す」とか、「同和地区を避ける」）をした者は、「現代的レイシズム」「古典的レイシズム」双方の因子得点が大きなプラスの値をとっているから、両方のレイシズムを強く内面化していると言えるだろう。他方、反差別的回答（結婚において「問題にしないだろう」とか、住宅の選択において「いずれにあってもこだわらない」）をした者は、両方の因子得点ともマイナスである。[4]

11 「現代的レイシズム」を支持する意識を形作るものは何か──自己責任志向とリベラルな政策への反発

2つのレイシズムが、部落に対する忌避意識を強化する方向に作用することはわかった。だが、これだけでは「現代的レイシズム」のような言説が、なぜ現代社会に立ち現れたのか、まだ説明できない。

そこで、この調査ではこれまで検討してきた質問以外にも、回答者の「ネオリベラリズム（新自由主義）志向性」、「政治的保守志向性」を測定したり、「学校の人権教育に対する考え」「マスコミ・ネット情報に対する考え」を聞いているので、これらと「現代的レイシズム」「古典的レイシズム」がどのように関係しているのか（相関があるのか）を検討してみることにした。

具体的には、以下のような質問を利用する。

「ネオリベラリズム（新自由主義）志向性」

相対するA・B二つの意見を示し、自分の考えがどちらに近いか、4段階で回答を求めた。測定しているのは「競争志向」「自己責任志向」「格差支持」の態度である。

A		B
競争は、人の悪い面を引き出し有害である	1　2　3　4	競争は人に働く気を起こさせ、新しいアイディアを生み出すので好ましい
市民が安心して暮らせるよう国はもっと責任を持つべきだ	1　2　3　4	自分のことは自分で面倒を見るよう個人がもっと責任を持つべきだ
収入はもっと平等にすべきだ	1　2　3　4	個人の努力を刺激するよう、収入には大きな開きがあってもよい

「政治的保守志向性」

以下の意見に対し、賛成〜反対を4件法（「そう思う」「どちらかといえばそう思う」「あまりそう思わない」「そう思わない」から1択）で聞いた。

・夫婦別姓も認められるべきだと思う
・今の憲法は時代に合わなくなっているので、早い時期に改憲したほうがよいと思う
・紛争に巻き込まれることになるので、集団的自衛権の行使を認めるべきではないと思う
・同性どうしの結婚も認められるべきだと思う
・小中学校での、愛国心を育てる教育は大切だと思う
・かつて日本が被害を与えた国々に配慮し、靖国神社の公式参拝には慎重になるべきだ

「学校の人権教育に対する考え」（同様に、賛成〜反対を4件法で聞く）

・差別をなくすために学校での教育は重要だ
・これまで受けた学校の人権教育は「タテマエ」が多かった

「マスコミ・ネット情報に対する考え」（同様に、賛成〜反対を4件法で聞く）

・ネット上で過激な書き込みや発言があっても、たいてい冗談半分で、本気ではない

・差別をあおるようなネット上の書き込みには、規制が必要だ
・ネットに人を傷つけるような情報が載るのはしかたないことだ
・ネットで叩かれる側にも、叩かれるだけの理由がある
・大手マスメディアの報道は信用できないと思う
・インターネットの中にこそ、報道されない真実があると思う

回答どうしの相関係数を出すために、「ネオリベラリズム志向性」を測定する3問への回答には、「ネオリベラリズム志向性」が強い回答（Bに近い）～弱い回答（Aに近い）が、高～低となるよう4～1点、「政治的保守志向性」「学校の人権教育に対する考え」「マスコミ・ネット情報に対する考え」についてはすべて、賛成～反対が高～低となるよう、4～1点をあてた。

また、「現代的レイシズム」「古典的レイシズム」質問群への回答をもとに、各回答者の「現代的レイシズム」スコア、「古典的レイシズム」スコアを算出した。具体的には、「現代的レイシズム」質問群（6問）への回答に、賛成～反対が高～低となるよう4～1点を与え、これを回答者ごとに合計し、「現代的レイシズム」スコアとした。[5] スコアが高いほど、現代的レイシズム」を強く支持していることになる。「古典的レイシズム」スコアも同様に算出した。

そして、これらをすべて投入し、相関係数を算出してみた。さらにネット利用の影響もみるために、「一日の平均ネット利用時間（授業・学習以外）」という変数も投入してみた。相関係数

とは、回答どうしの結びつきの強さを示すもので、1から-1の間の値をとり、絶対値が大きいほど相関が強く、0はまったく相関がないことを表す。符号がついていなければ正の相関（片方の値が増えると、もう一方も増える傾向がある）、マイナスがつけば、負の相関（片方の値が増えれば、もう一方が減少する傾向がある）であることを示している。

表11を見ると、高いとはいえないが、「現代的レイシズム」スコアにのみ、複数の項目に、0・1を超える相関があり、「古典的レイシズム」スコアにはない。「現代的レイシズム」スコアに0・1を超える相関がみられた項目は以下である。負の相関には▲をつけた。

- 夫婦別姓も認められるべきだと思う（夫婦別姓支持）▲
- 同性どうしの結婚も認められるべきだと思う（同性婚支持）▲
- 小中学校での、愛国心を育てる教育は大切だと思う（愛国心教育支持）
- 差別をなくすために学校での教育は重要だ（人権教育支持）▲
- 差別をあおるようなネット上の書き込みには、規制が必要だ（ネット規制支持）▲
- ネットに人を傷つけるような情報が載るのはしかたないことだ（ネット情報放任）
- ネットで叩かれる側にも、叩かれるだけの理由がある（被害者帰責）

ここから見えるのは、「現代的レイシズム」への支持は、差別解消に向けて、学校教育やネッ

表11|大学生(2021)——現代的・古典的レイシズムと様々な意見との相関(Spearmanの相関係数)

		「現代的レイシズム」スコア	「古典的レイシズム」スコア
ネオリベラリズム志向	競争志向	-0.057	-.096**
	自己責任志向	0.104**	0.001
	格差支持	0.033	-0.043
政治的保守志向	夫婦別姓も認められるべき	-0.144**	-0.047
	早い時期に改憲した方がよい	-0.007	0.040
	集団的自衛権の行使を認めるべきではない	0.023	.098**
	同性どうしの結婚も認められるべき	-0.173**	-0.070
	小中学校での、愛国心を育てる教育は大切	0.115**	0.046
	靖国神社の公式参拝には慎重になるべきだ	-0.030	0.018
学校の人権教育	差別をなくすために、学校での教育は重要だ	-0.225**	-0.057
	これまで受けた学校の人権教育は「タテマエ」が多かった	.074*	0.081**
マスコミ情報・ネット情報に対する考え	ネット上で過激な書き込みや発言があってもたいてい冗談半分で、本気ではない	.094**	-0.003
	差別をあおるようなネット上の書き込みには、規制が必要だ	-0.12**	-0.016
	ネットに人を傷つけるような情報が載るのはしかたないことだ	0.168**	0.074*
	ネットで叩かれる側にも、叩かれるだけの理由がある	0.212**	0.097**
	大手マスメディアの報道は、信用できないと感じる	0.079**	0.075*
	インターネットの中にこそ、報道されない真実があると思う	0.053	0.053
一日平均、ネット利用時間(授業・学習以外)		-0.017	0.025

*p<.05(有意水準5%で有意な相関がある)　**p<.01(有意水準1%で有意な相関がある)[6]

ト規制を行うなど「公的介入」が行われることを嫌い、自己責任を重視し、ネット上で誹謗中傷などが起きても「仕方がない」と放任する態度と相関する、ということである。だが、それは単なる自由放任主義とも言えない。なぜなら、同性婚に反対し、愛国心教育を重視するような保守的価値観とも相関しているからだ。ということは、「現代的レイシズム」への支持は、「反リベラル」とみることもできる。言い換えれば、「現代的レイシズム」は、現代社会の「自己責任」という価値観と、リベラルな政策（差別解消と、マイノリティの権利保障のために行われる公的介入）への反発と連動している。こうした価値観から見れば、「公的な人権政策は、自己責任社会を生き抜けない人びとを守る『特権的施策』だ」ということになるだろう。

なお、いずれのレイシズムも「一日の平均ネット利用時間（授業・学習以外）」とは相関がなかった。

12 大学生に「現代的レイシズム」がそれほど浸透していないわけ

本調査の対象者は、ほぼ全員が「法期限後」に学校教育を受け、インターネットの普及が進む2000年前後よりも後に生まれ育ったデジタル・ネイティブ世代である。そこで、とくにネットを介して、また、しばしばヘイトスピーチと共に拡散されてきた「現代的差別」言説の影響を、ある程度受けているものと予測していたが、全体として見れば、「古典的差別」意識のほうが優勢であった。

その理由として、学校で得る部落問題に関する知識は歴史が中心で、同和対策事業や、法・制度などについて学ぶことが少ないため、これらに批判的な立場を表明する「現代的レイシズム」言説に共感するほど、知識がないからではないか、と考えることもできる。

だが、このように書いたからといって、「では、過去の同和政策や、法・制度などについて教えれば、『現代的レイシズム』を強化してしまうのではないか」などと、曲解してほしくない。

2015年には法改正によって選挙年齢が引き下げられ、18歳から選挙権を有するようになり、高校生も政治的教養を持たねばならない時代である。主権者教育というならば、過去の政策や、近年の立法なども含め、部落問題をはじめとする人権諸課題を学ぶべきではないのか。また、ネオリベラルな考え方が浸透した現代社会において、「現代的レイシズム」の影響は、今後も強まると考えられる。だが、私たちの社会は単なる自由放任主義では成り立たない。私たちは社会的合意を形成し、法や政策、制度を作り、よりよい社会を築いていく必要があるのだ。部落問題についての知識も、決して歴史だけでは十分ではないはずだ。

1――因子分析によって因子をいくつまで抽出したらよいかについては、いくつかの考え方があるが、ここでは「固有値1」以上とした。固有値とは「各因子の全項目に対する支配度」と考えていただければよい。なお、ここでは第1〜3因子の固有値は、5・259、1・647、1・070となり、第三因子ではかなり低くなった。

2――2つの質問群のそれぞれに、内的整合性があるかをCronbachのα（クロンバックのアルファ）によってみると、「現代的レイシズム」（項目数6）0・852、「古典的レイシズム」（項目数4）0・784となったが、第三因子に固まった4項目は0・627で低い値となった。

3――標準化とは、複数あるデータの平均をゼロ、分散が1になるように変換することである。

4――図中の棒の長さ（因子得点の値の大きさ）を見る限り、「結婚」における忌避意識には、「現代的レイシズム」因子が「古典的レイシズム」因子より、強い影響を与えているのに対し、「住宅の選択」では逆に「古典的レイシズム」のほうが影響が強い。これについては、データから決定的な説明をすることは難しい。想像の域を出ないのだが、「結婚」では相手（個人）を見るのに対し、「住宅の選択」では、コミュニティを意識することになるので、部落コミュニティに対するイメージ（以前から部落に対して向けられてきた「評価」）がより強く影響するのではないかと考えた（古典的レイシズムに関わる質問には「こわい」や「集団で行動する」といった項目が含まれていた）。

5――「現代的レイシズム」スコアを構成する6問のいずれかに「回答なし」があった場合、そこには、各問の回答の平均値を投入した。どれか一つでも回答なしがあると、その人のスコアが算出できなくなるからである。「古典的レイシズム」スコアも同様である。

6――統計上、有意水準とは、「ある事象が起こる確率が、偶然とは考えにくい（＝有意である）」と判断する基準となる確率。

終章
どこへ向かうのか

1――変容する現代社会の差別の特性

差別は変容する。いや、正確には、変容させられる。

部落差別は封建時代の被差別身分に系譜的つながりを持つ人びとに向けられた差別である。だが、人権擁護施策の進展により、系譜的な身元調査ができなくなると、部落出身者かどうかの判定は、「部落の土地との関り」により行われるようになり、部落差別の属地性が強化された。するとと、「部落に住めば、自分も出身者だと思われるかもしれない」と、部落の土地を忌避しようとする態度が強化され、それは部落内の不動産の需要を押し下げ、部落差別を不動産市場に組み込む結果をもたらした。差別は個人の心理的な問題にとどまらず、社会システムに組み込まれるのだ。

また、部落の土地をめぐるこのような連鎖が起こるからこそ、部落の所在地（地名等）に関わる情報を第三者がネットに拡散する行為は、人権を侵害する行為となる。部落の地名リストをネットに拡散しておきながら、「単なる地名リストだから、人の権利侵害にはならない」というのは詭弁である。だが、この連鎖のメカニズムがわからないと、これが詭弁だということが見抜けない。部落の地名リストの拡散は、一見、「差別ではないように見える、差別」だという点で、これ自体が「新しい差別」と言えよう。

差別言説も変容している。露骨な見下しや蔑みに代わって、「現代的レイシズム」（いわゆる「特権言説」）が、近年目立つようになってきた。いや、「代わって」という表現は正確ではない。昔ながらの差別言説（古典的レイシズム）も、相変わらず存在しているから、両者は共存している、というべきだろう。

ところで、本書では、海外の「新しいレイシズム」研究を参照しながら、日本の部落差別の変容を説明しようとしてきたが、決して、海外の概念をそっくり、日本にあてはめようとしたわけではない。「社会システムに組み込まれた差別」や「現代的レイシズム」にしても、社会環境や文化の異なる海外（特にアメリカ合衆国）と日本で、同じ現象が起きるわけではない。むしろ私が注目したのは、反差別・人権施策の進展と共に、差別の変容が起きるという点である。このことは日本の状況とも重なる。同和対策事業の進捗と共に生じた「ねたみ・逆差別」が、特権言説へと変容し、さらには差別に対して声をあげることすら特権の要求であるかのように非難を受けるようになり、マイノリティは声すら奪われるような状況が進んで来た。また「特権言説」は一見すると、政策を批判しているかのようにも見え、差別だと指弾しにくい。

こうして、近世封建時代の身分制度に由来する部落差別は、現代社会において大きく変容しつつある。

そして、これらを変えてきたのは、差別「する人（側）」である。

冒頭で、私が自分の研究を「差別する人（側）の研究です」と紹介すると、時に警戒する人がいると書いておいたが、警戒するのは「自分がどちら側に分類されるのか」と身構えるからであろう。そして、「社会システムに組み込まれた差別」や、「政策批判の衣をまとう言説」は、このような人にとっては都合がよい。自分の責任ではなく「社会のせいだ」言うことができるし、「政策批判」の衣をまとえば、差別だと非難されることもない。このように、新しい差別は、「差別する人」を免責してくれるのだ。

インターネットも然り、差別的な投稿を一度だけ行えば、あとは第三者が勝手に拡散してくれる。拡散はＩＴという「システムのせい」である。まさに現代の差別は、「差別する人」を免責する構造を持ち合わせているのだ。

2 —— 人権教育にも責任がある

社会システムに埋め込まれた差別に対して、「自分には責任がない」と感じてしまうのは、多分に日本の人権教育・啓発にも責任がある、と私は感じてきた。

人権とは、具体的かつ数えられる人間の権利であるが（human rightsには複数形を表すsがつく！）、日本の学校では、自分がどんな権利を持っているか、具体的に学ぶような取り組みは低調で、代わりに、社会的弱者に対して「おもいやり」「やさしさ」「いたわり」を持ちなさいと教えられる。かくして、人権問題とは私的な人間関係の中で、「心の持ちよう」で解決するものだと学んでしまい、社会システムへの関心が育たない。市民の人権を実現する公的機関の責務、法・制度による問題解決に対して、あまりにも無頓着なのだ。差別が社会システムに組み込まれたのなら、社会システムを変えることで、問題を解決しなくてはならない。新たなルールを作ったり、組織の体制や文化を変えることを念頭に、心がけ志向から社会志向へと、人権教育も変わらねばならない。

しかし、法や制度が一人では絶対に作れないように、社会システムを変えていくには、他者との対話と合意形成が不可欠だ。立場が異なる者どうし、互いの意見に耳を傾け、自らの考えを修正しながら議論を深め、合意を形成することが求められる。だが、こうした民主主義のプロセスに、きわめて有害に作用するのが「現代的レイシズム」である。「差別はもう深刻な問題ではないのに、マイノリティは努力もせず、要求ばかり行い、不当な特権を得ている」という言説は、差別に抗する声、少数者の声を封じ込めてしまうからだ。

さらに特権言説は、差別はそもそも「する人（側）」の問題であるのに、「マイノリティが不当なことをしているから、差別されるのは仕方がない」と、マイノリティに責任を転嫁する。つまり、差別の本質（国際人権基準からみても、差別は「する人（側）」の問題である）を根本的にひっくり返そうとする意図がそこにある。

人権とは何か、差別とは何か、国際基準から教え、学ぶことは、こうした言説から自分の思考と、社会を守ることにつながるのではないか。教育に携わる者の一人として、強く思う。

3 「差別は、もう深刻な問題ではないのに……」と考えるマジョリティの心理

「現代的レイシズム」の言説は、「差別はもう深刻な問題ではないのに……」という前提から始まる。「マイノリティは差別を気にしすぎ（私は差別なんかしないのに）」というのも、これに近

い。このことについて、もう少し考えてみたい。

露骨な偏見が表出するのを直接見聞きしないからといって、差別がなくなったわけではないことは、すでに説明した通りだ。では、「数字」で見るとどうだろうか？ 例えば、第4章で紹介した大阪府堺市の人権意識調査（2020）では、子どもの結婚相手が部落出身者であった場合、親として結婚に反対する、と回答したのは18・8％であった。18・8％の差別を取り上げることは、「気にしすぎ」なのか？

このことを私に考えさせてくれた人がいる。部落問題を解決したいと部落解放運動に飛び込んだ、私よりはるかに若い人である。自分が経験した結婚差別について、ある集まりで話してくれたのだった。

のちにパートナーとなる人の親のところに挨拶にいき、「のちのち問題になるのはいやだ」と考え、自分のルーツが部落にあることを伝えたところ、当初は「差別は間違っている」と言っていた相手の親が、その後「親戚が反対する」と強い反対に転じたこと、それに向き合い、わかってもらおうと何度も話し、結局は二人だけで一緒に暮らすという選択をしたことなど……。

この話をしたときに、彼は自分の地元の自治体がやっている人権意識調査の結果に触れた。「意識調査だと、部落出身者との結婚には何割が反対する、しない、という数字が出るけれど、結婚に反対しない人が7割だろうと8割だろうと不安な気持ちは変わらない。反対されれば割合なんて関係なく、当事者にとっては反対されたことがすべてだ」との考えを話してくれたのだった。この話は衝撃だった。

大阪府堺市の調査では、自分の子どもが部落出身者と結婚することには「反対」した回答者は2割だった。交際したり、結婚を考えている相手の親が、自分の目の前で2割のほうになるのか、8割のほうになるのか……などと考える必要に迫られることのない者にとっては、2割は小さな数字かもしれない。だが、それに直面する者にとって、2か8かというのは、「どちらに転ぶかわからない」現実であり、反対されればそれがすべてなのだ。

そして、マジョリティとは、そんな思いをしなくても済む立場にある者である。

だが、マジョリティは自分が「そんな思いをしなくても済む」ことじたいを、普段意識することがない。社会はマジョリティに合わせてできあがっているから、日々の経験に違和感を持つこともあまりないし、「自分は何者か?」とアイデンティティを問われることもない。その感覚から出た言葉が、「差別なんて、もうないんじゃない?」なのだ。だとすれば、「現代的レイシズム」に立ち向かうためには、マジョリティが、自分がマジョリティであること——マジョリティの一員であるがゆえに、労なくして、自動的に優位な立場（マジョリティ特権）を与えられている——を意識化することが必要になるのだ。

4 「自分たちこそ、見捨てられたマイノリティ」だと主張するマジョリティ

だが、マジョリティにマジョリティたることを意識化させることは容易ではない。それどころか世界を見渡せば、その逆の現象が起きている。ジャスティン・ゲストは、かつて鉄鋼や自動車などの基幹産業を支えてきたアメリカ、イギリスの白人労働者たち——本来は社会のマジョリティであるはずである人びと——が、グローバル化による産業の空洞化と雇用環境の悪化により、経済的苦境と政治的影響力の低下に直面し、自分たちこそ、見捨てられたマイノリティだと認識するようになっていることを『新たなマイノリティの誕生——声を奪われた白人労働者たち』（邦訳は2019）[1]に著した。アメリカのトランプ政権や英国のEU離脱の背景や要因を説明するものとして、ゲストの研究は大いに注目を浴びた。では、大きな剝奪感と怒りを抱える彼らに対して、「あなたたちはマジョリティだ、自分の持つ特権に気づけ」というメッセージを発したところで、受け容れられるだろうか？

とはいえ、白人労働者たちの現状への憤りが、自らの状況をより良くするための積極的な提案や問題解決行動には向かわず、「福祉制度は黒人や移民ばかりに得をさせている」というような、差別的感情に転化されるだけでは、本来は自分の暮らしを守ってくれるかもしれない福祉

制度を壊すことにも加担しかねない。これは日本も同様だ。

かつて、日本のヘイトスピーチについて考察したテッサ・モリス＝スズキは、マジョリティ側にいる者が、「自分が持つべき権利がマイノリティに奪われた」と表現することを、「逆転した被害者感情」（inverted victimhood）と呼んだ。一つしかないものを取り合い、一方が利すると他方が損をするという考え方を「ゼロサム」というが、本来なら「すべての人」の権利であったはずの人権が、「特権言説」によって、いつの間にかゼロサムゲームの対象とされ、「取る・取られる」ものに変換されていることに気づかされる。「現代的レイシズム」は人権が実現される社会を築こうとする、社会の共通意志にとって有害だ。

では、どうすれば、このような状況を変えていけるのだろうか。

レイシズムの初期の研究者たちは、レイシズムを「個人の意識（偏見・敵意）」の問題だととらえていたので、例えば、心理学者オールポートが1950年代に提唱した「接触仮説[2]」――対等かつ、相手の人間性を尊重するような人種間の接触・交流を持つことで、レイシズムは低減するという考え――に基づいた取組みが、有効だと考えていた。もちろん、その有効性は今も失われてしまったわけではない。親しい部落出身の友人・知人がいれば、思い込みや偏見が修正されることは、容易に想像がつく。

だが、「現代的レイシズム」は、マイノリティ集団の権利が保障されれば、自分が何かを失うかのような、資源をめぐる競争的考えが根底にある。だとすれば、単に接触を持てば偏見は減じる、というのはあまりにも楽観的である。個人の心理に働きかけるだけでなく、問題を社会システムの中でとらえ、社会システムを通じての解決を志向することが必要ではないのか。それには、マジョリティの側も自分の怒りと剝奪感を、誰かのせいにするのではなく、自分の「痛み」として向き合い、社会的な課題に置き換える力をつけることが必要だ。もちろんそのとき、一人ではなく、共に歩む仲間も大切である。

5　差別「する人（側）」研究から、その次へ

本書を差別「する人（側）」の研究としたのは、差別は「する人（側）」が作り出し、変容させているものだからだ。だから、「する人（側）」に徹底的にこだわりたい、と考えた。わざわざ「変容させてまで」差別を維持しようとするマジョリティの「ねじれた熱意」に向き合い、問い直したいと考えたからである。

国際法上の差別の定義はすでに紹介したが、社会学が差別を論じるとき、古典として必ずや参照する、アルベール・メンミの定義もここで紹介しておきたい。メンミは、「差別主義とは、現実上の、あるいは架空の差異に普遍的、決定的な価値づけをすることであり、この価値づけ

は、告発者が己れの特権や攻撃を正当化するために、被害者の犠牲をも顧みず己れの利益を目的として行なうものである」と定義した。[3]「告発者」という用語はややわかりにくいので、「差別者」に置き換えるとよい。差別者は、差異を理由に、ある人・集団を不平等・不利益に扱うことを正当化し、それを自分のために利用する。やはり、差別は「する側」の勝手な論理によって行われるのだ。そしてその差異は現実でも架空でもよい。差別の根拠は「する人（側）」の恣意だからだ。それなのに「する人（側）」は、「自分は差別なんかしない（社会システムのせいだ）」「彼らが特権を要求するからだ」と、あの手この手で逃避する。「する人（側）」がそのことに気づかなければ、「ねじれた熱意」も手放せないし、「差別を禁止し、被害を救済する法」を作ることも不可能だ。なぜなら差別禁止法は、「する人（側）」に向けられる（「する人（側）」の行為を規制する）法だからだ。

だからあえて、本書では、差別の眼差しを向けられる当事者の声や思いを伝えるというスタイルをとらなかった。当事者の声を間接的に本で読み、理解者になったと思う前に、そもそも差別は「する人（側）」の問題だと、認識してほしいからだ。

もちろんこの先、差別に抗する法や制度、様々な組織の体制・文化を具体的に作るには、当事者の声を聞き、その経験を知ることは不可欠である。そのことは次のステップとして、読者のみなさんに託したい。この後、ネットで部落がどこにあるかと検索したり、動画探しをするのではなく、出会い、話を聞く機会を求めてほしい。部落であることをカミングアウトし、「まちづくり」の活動を積極的に発信している地域もある。また、生まれ育った部落を離れて働き暮らしながら、周りの人にもっと部落のことを知ってほしい、思っていることを話し合いたいと、小さな集まりを企画するようになった人もいる。もちろん、多様な学習会の場でも、当事者の話を聞く機会はある。

そして、ここからはあくまで個人的な思いだが、当事者とすぐに出会うことがなくても、あなたの周りにはたくさんの部落にルーツのある人がいることを知ってほしい。「見えない」ことは「いない」ことではない。人が自由に自分の生き方を選択できる現代社会にあって、人が移動するのは、部落も同様である。部落に住み続けている人もいれば、部落外に住むようになった人も、また部落外から部落に来住する人もいる。関心をもち続けていれば、いつか出会うことがあると思う。そして、ゆっくりと知り合い、学び合えたらいいと思う。

1——Gest, J. (2016) *The New Minority: White Working Class Politics in an Age of Immigration and Inequality.* Oxford University Press. 吉田徹ほか訳［2019］『新たなマイノリティの誕生——声を奪われた白人労働者たち』弘文堂
2——Allport, G. (1954) *The Nature of Prejudice.* Reading, MA: Addison-Wesley. 原谷達夫・野村昭訳［1968］『偏見の心理』培風館
3——Memmi, A. (1968) *L'Homme Domine.* Paris: Gallimard. 白井茂雄・菊池昌実訳［1971］『差別の構造——性・人種・身分・階級』合同出版

エピローグ

執筆を終え、いくつか今後も追求し続けねばならない課題が、かえって明らかになった。

本調査で採用した「現代的レイシズム」「古典的レイシズム」の概念は、人種差別研究の中から提起されたものであるが、人種差別における「古典的レイシズム」というのは、一般にバイオロジカルで生得的な差異（例えば肌の色）を優劣に結び付ける考え方を指す。もちろん、これは部落差別にはあてはまらない。部落差別において「現代的差別」を論じるのなら、改めて「古典的差別」とは何かを論じる必要性も感じる。本調査では、「貧しい」「閉鎖的」「集団で行動する」「こわい」など、以前からよく持ち出されたイメージを「古典的レイシズム」に位置づけたが、例えば「貧しい」も「こわい」も、身分制度が廃止された近代以降に形成されたものだ。それがなぜ、今に引き継がれているのか、そこでイメージされている姿は何なのか、問うてみる必要があろう。また、同和対策事業が実施され生活環境が改善された部落に対して、なぜ現代の大学生が「所得が低い」などのイメージを持っているのか、気になるところである。

また、大学生の調査では、部落に対する「現代的レイシズム」言説を支持する回答は多いとはいえず、むしろ「古典的レイシズム」のほうが強く現れていた。「現代的レイシズム」は、海外の研究では、リベラルな人権・反差別政策への反発として表れると言われてきたが、現在の大学生は反発を感じるほど、同和対策事業やそのための法律などについて知らない（教えられてこなかった）からではないか、と理由づけた。つまり、同和対策事業について知らないから、態度が把握できなかっただけかもしれない。それならば、学生たちが高校までの間に比較的学習することが多い、「障害者」「性的少数者」などに対する「現代的レイシズム」言説についても聞いてみれば、大学生が本当に「現代的レイシズム」の影響を受けていないのか、検証することができる。

また、「新しい差別」には、「社会システムに混み込まれた差別」や「現代的レイシズム」の他にもいくつかの類型がある。中でも、回避的レイシズム（Aversive racism）やカラーブラインド・レイシズム（Color blind racism）は、部落差別とも関連がありそうである。例えば、部落問題においては「触れないほうがよい」「そっとしておけば差別はなくなる」というような考え方は、一般には「寝た子を起こすな」論として扱われ、古くからある差別意識とされてきた。だが、「触れない、関わらない」ことによって「自分は差別者ではない」というポジションを保とうとする姿勢は、回避的レイシズムとして再解釈が可能かもしれない。

そして、部落出身であることをカミングアウトされたとき、「私はあなたの出身なんて、気にしない」と返すことは、一見、「私には偏見なんてありません」と宣言しているようにも見えるが、これは部落出身であることを無化（invalidate）する言葉にもなりうる。属性・特性を見ようとせず、「ないこと」にするカラーブラインド・レイシズムは、究極のところ、現状維持にいきつく。マイノリティの権利を侵害する社会構造に対する責任から自分を免責するだけである。

さいごに、差別の変容は、社会環境や社会意識の変化からも影響を受ける。「現代的レイシズム」が、自己責任や能力主義などと相関していたように、ネオリベラルな価値観が強まれば、「現代的レイシズム」は強化される。だから、部落問題だけに焦点をあて、「差別はいけない」というだけでなく、社会がどのような価値を支持するのか、それに基づきどのような政策が実行されるのかといったことも、差別の変容に関わっている。それぞれの時代に支持された価値観、政策との関係も、広くは見ていく必要があろう。引き続き、研究を重ねていくことにする。

参考文献

赤井隆史（2021）「法務省の『依命通知』――『本来あるべからざる属性』とは」コラム水平時評（5月10日）http://www.hrn.gr.jp/column/2892/

阿久澤麻理子（1997）「人権教育・啓発の新たな課題――『逆差別』をめぐる市民意識の日米比較」『部落解放研究』No.116, 95–112.

阿久澤麻理子（2019）「全国部落調査」復刻版出版差し止め裁判に対する意見書」大阪市立大学人権問題研究センター『人権問題研究』（16）71–95　https://dlisv03.media.osaka-cu.ac.jp/contents/osakacu/kiyo/1346454x-16-71.pdf

淡路市（2022）『人権問題についての淡路市市民意識調査【結果報告書】』

井戸田博史（1994）「戸籍用紙「族称欄」族称文字の削除」『帝塚山短期大学紀要 人文・社会科学編・自然科学編』（31）51–66.

上杉聰（2014）「『部落』における『人』と『土地』について――『部落』とはなにか？」大阪市立大学人権問題研究会『人権問題研究』（14）5–32.

大阪府企画調整部同和対策室（1995）『大阪府民の人権問題に関する意識調査』

大阪府（2011）『人権問題に関する府民意識調査（基本編）』（平成22年度実施分）https://www.pref.osaka.lg.jp/jinken/measure/ishiki22_index.html

奥田均（２００３）『土地差別問題の研究』解放出版社
株式会社日立製作所『戸籍に関する国民の意識調査報告書案（抄）』（戸籍事務へのマイナンバー制度導入のためのシステムの在り方に係る調査・研究等）※２０１６年に実施された調査の報告であるが、公表年は不明。
黒川みどり（２０１４）「日本における部落問題——近現代の歴史をたどりながら」東京大学大学院総合文化研究科附属地域グローバル地域研究機構ドイツ・ヨーロッパセンター『ヨーロッパ研究』（14）37–41.
黒川みどり（２０２１）『被差別部落認識の歴史　異化と同化の間』岩波書店
高史明（２０１５）『レイシズムを解剖する——在日コリアンへの偏見とインターネット』勁草書房
高史明（２０１８）「ネット上のレイシズム研究者より、部落差別の実態把握のために」（一社）部落解放・人権研究所『ネット上の部落差別と今後の課題～『部落差別解消推進法』を踏まえて』161–181.
小森哲郎（１９９３）「意識調査結果にみる差別意識の現状と今後の課題」部落解放人権研究所『部落解放研究』（91）1–50.
堺市市民人権局人権部人権企画調整課（２０１６）『第7回堺市人権意識調査結果報告書』
堺市市民人権局人権部人権企画調整課（２０２１）『第8回堺市人権意識調査結果報告書』
関口寛（２０１１）「20世紀初頭におけるアカデミズムと部落問題認識——鳥居龍蔵の日本人種論と被差別部落民調査の検討から」同志社大学人文科学研究所『社会科学』（41・1）125–147.
総務庁長官官房地域改善対策室（１９９５）『平成5年度同和地区実態把握等調査—意識調査報告書—』

高田寛明（1978）『つくられた差別の町——近代姫路・ある部落の歴史』解放出版社
内閣府（2017）「人権擁護に関する世論調査」https://survey.gov-online.go.jp/h29/h29-jinken/index.html
内閣府（2022）「人権擁護に関する世論調査」https://survey.gov-online.go.jp/r04/r04-jinken/index.html
二宮周平（2006）『新版 戸籍と人権』解放出版社
氷上町公民館（2003）『氷上町人権問題住民意識調査報告書』
姫路市人権啓発センター（2023）『人権についての姫路市民意識調査結果報告書』
不動産に関する人権問題連絡会・大阪府（2022）『宅地建物取引業者に関する人権問題実態調査報告書』https://www.pref.osaka.lg.jp/attach/3026/00000000/tyousa-houkoku(r3).pdf
部落解放・人権研究所（2008）『部落問題に関する意識の変遷と啓発の課題』（部落問題に関する意識調査研究プロジェクト報告書No.10）
部落解放同盟大阪府連合会（1984）『部落差別 写真で見るその現実』（人権展図録）
部落解放・人権研究所（2008）『部落問題に関する意識の変遷と啓発の課題（部落問題に関する意識調査研究プロジェクト報告書No.10）』https://blhrri.org/old/kenkyu/project/ishiki/ishiki_r.pdf
牧英正（1985）「壬申戸籍始末」大阪市立大学同和問題研究会『同和問題研究（大阪市立大学同和問題研究室紀要）』（8）1–34.
横島章（1992）『同和問題の心理』中央法規出版
横島章（1994）「同和問題におけるねたみ意識について」『宇都宮大学教育学部紀要』第1部（44）

117–133.

李嘉永（２０２０）「差別行為の一形態としての『みなし差別』と『関係者差別』」「近畿大学人権問題研究所紀要」（34）65–82.

Allport, G. W. (1954) *The Nature of Prejudice*. Reading, MA: Addison-Wesley. 原谷達夫・野村昭訳［1968］『偏見の心理』培風館.

Bonilla-Silva, E. (2018) *Racism without Racists: Color-Blind Racism and the Persistence of Racial Inequality in America*. 5th edition. Lanham, MD: Rowman & Littlefield Publishers.

Carmichael, S. & Hamilton, C.V. (1967) *Black Power: The Politics of Liberation*. New York: Random House. 長田衛訳［１９６８］『ブラック・パワー』合同出版

Dovidio, J.F. & Gaertner, S.L. (1986). The aversive form of racism. In: Dovidio & Gaertner (Eds.), *Prejudice, Discrimination, and Racism*. 61–89. New York: Academic Press.

Fiske, S.T. (2010) Interpersonal Stratification: Status, Power, and Subordination. In: Fiske, S.T., Gilbert, D.T. & Lindzey, D. (Eds.), *Handbook of Social Psychology*. fifth ed. New York: Wiley.

Gest, J. (2016) *The New Minority: White Working Class Politics in an Age of Immigration and Inequality*. Oxford: Oxford University Press. 吉田徹ほか訳［２０１９］『新たなマイノリティの誕生――声を奪われた白人労働者たち』弘文堂

Goodman, D. J. (2011) *Promoting Diversity and Social Justice: Educating People from Privileged Groups*. Second Edition.New York: Routledge. 出口真紀子訳［２０１７］『真のダイバーシティをめざして――特権に無自覚なマジョリティのための社会的公正教育』上智大学出版

Kinder, D. R. & Sears, D. O.(1981) Prejudice and Politics: Symbolic Racism Versus Racial Threats to Good Life. *Journal of Personality and Social Psychology*. 40 (3). 414–431.

Memmi, A. (1968) *L' Homme Domine*. Paris: Gallimard. 白井茂雄・菊池昌実訳［１９７１］『差別の構造――性・人種・身分・階級』合同出版

McConahay, J. B. (1986) *Modern Racism, Ambivalence, and the Modern Racism Scale*. FL: Academic Press

McIntosh, P. (1988) White Privilege and Male Privilege: A personal account of coming to see correspondences through work in women's studies. Working Paper 189, Wellesley Centers for Women, Wellesley, MA.

Morris-Suzuki, T. (2015) Citizenship and Racism in Contemporary Society: Issues from Japan and Australia. *Peace and Culture*. 7 (1). 62–69. Aoyama Gakuin University Joint Research Institute for Peace and Culture. Tokyo.

Spector, M. & Kitsuse, J. I. (1977) *Constructing Social Problems*. Routledge. 村上直之訳［１９９０］『社会問題の構築――ラベリング理論をこえて』マルジュ社

Wilson, W.J. (1999) *The Bridge over the Racial Divide: Rising Inequality and Coalition Politics*. Berkeley: University of California Press.

著者紹介
阿久澤麻理子（あくざわ・まりこ）

大阪公立大学人権問題研究センター教授。
1963年生まれ。上智大学法学部国際関係法学科卒業。
奈良教育大学教育学研究科修士課程修了。
大阪大学人間科学研究科博士後期課程修了（人間科学博士）。
教育学・法学・社会学の学際的視点から、
人権教育および変容する差別について研究。
主な著書に『フィリピンの人権教育——ポスト冷戦期における
国家・市民社会・国際人権レジームの役割と関係性の変化を軸として』
（解放出版社、2016年／単著）、
『地球市民の人権教育 15歳からのレッスンプラン』
（解放出版社、2015年／共著）。

差別する人の研究
変容する部落差別と現代のレイシズム

2023年10月15日　初版第1刷発行
2024年 6月 7日　　　第4刷発行

著者　阿久澤麻理子

ブックデザイン　木下 悠
編集担当　熊谷 満
発行者　木内洋育
発行所　株式会社旬報社
〒162-0041 東京都新宿区早稲田鶴巻町544 中川ビル4F
TEL 03-5579-8973　FAX 03-5579-8975
HP https://www.junposha.com/
印刷・製本　精文堂印刷株式会社

ISBN978-4-8451-1850-2